OMNIBUS

Valerio Massimo Manfredi

QUARANTA GIORNI

Romanzo

MONDADORI

⋀ librimondadori.it

Quaranta giorni
di Valerio Massimo Manfredi
Collezione Omnibus

ISBN 978-88-04-72230-4

© 2020 Mondadori Libri S.p.A., Milano
Pubblicato in accordo con Grandi & Associati, Milano
I edizione novembre 2020

QUARANTA GIORNI

A Roberta che ha creato l'atmosfera per la mia storia

Credi che io non possa pregare il Padre mio
che mi darebbe più di dodici legioni di angeli?

MATTEO, 53-54

I

Gerusalemme, 33 d.C. Monte Golgota, ora settima

«Se sei il figlio di Dio, scendi dalla croce!»

«Tu sai benissimo chi sono, bestia, schiavo! Credi di sapere più di me? Quante volte ti ho cacciato e ho guardato nei tuoi occhi di porco! Altri tuoi compagni ho chiuso nelle budella di animali immondi perché fossero defecati per miglia, tra il lezzo degli escrementi!»

Nessuno udì queste parole venire dal patibolo. I lineamenti del condannato erano indecifrabili, gli occhi pieni di dolore, una sola lacrima tracciata di sangue dalla fronte all'angolo della bocca. Spine, membra scorticate dal flagello. Silenzio sulla rupe, pesante.

Il tempo passava mentre il dolore era sempre più straziante, tra grida umane e demoniache. Il vento soffiava sempre più forte da settentrione. Le imprecazioni dei soldati ai dadi: «Otto! Sei! Ho vinto».

«Hai perso! Che hai vinto? Quello straccio?»

Gli amici dileguati. Terrore, angoscia, dolore lancinante nei polsi, nelle caviglie. Un grido dal patibolo: «Perdonali. Padre!». Voce rauca dal tronco traverso e pianto di donne. Una sola implorò perdono per i Goyim.

«No!» gridò un'altra voce, quella di un uomo chiamato Giuseppe di Arimatea... E altre tremarono fra la morte e l'odio.

Molto silenzio seguì, poi pianto di madre. Il condannato le donò un figlio differente: il giovane Giovanni, il suo discepolo prediletto.

«Donna, ecco tuo figlio e tu, ecco tua madre!»

Ma la Madre disobbedì al figlio, si accostò al patibolo senza che i legionari la fermassero, gli abbracciò le ginocchia e appoggiò la guancia scossa dai singulti sulla sua coscia. Un'onda di ricordi. L'aveva allattato, cresciuto, educato.

IESUS NAZARENUS REX IUDAEORUM

Così era scritto sull'insegna appesa alla croce, e in quella scritta era la causa del suo supplizio.

Disse: «Ho sete», ma lei non aveva acqua per dissetarlo. Il centurione che comandava il gruppo di esecuzione fece cenno a uno dei suoi uomini di inzuppare una spugna in acqua e aceto e di accostargliela alle labbra con una canna. La rifiutò: non poteva deglutire.

Uno dei due crocefissi con lui lo fissava con un'occhiata beffarda, crudele. Godeva di quello spettacolo. Giovanni lasciò cadere lo sguardo sul gladio del legionario che aveva la canna e la spugna, pensò di afferrare l'arma e trapassare con quella il ventre di colui che aveva gridato al re inchiodato al legno di scendere dalla croce. Ma l'avrebbe ucciso? Non lo sapeva, non era sicuro di sé. Non sapeva chi fosse, non sapeva se avesse un nome, e forse non l'aveva, gli suggeriva una voce all'orecchio dentro a un canto tenebroso, nel vento del deserto che sibilava fra i pinnacoli del tempio, all'ora ottava scandita dalle ombre striscianti fra le rocce.

Giovanni pregò in ginocchio Dio che lasciasse morire il figlio suo agonizzante. Ma come? Doveva lui dire a Dio come si fa a uccidere un figlio? Glielo sibilasse il vento!

Il condannato sospirò: «Tutto è finito». Poi la sua mente svanì: fu il suo come un sonno. Nemmeno la Madre avrebbe potuto svegliarlo.

Lo svegliarono invece, verso l'ora nona, tra il fragore dei tuoni, le scosse del terremoto, le crepe insanguinate fra le rocce. Nessuno avrebbe potuto altrimenti.

C'erano altri due condannati a morte sulla croce a destra e a sinistra. Uno, un delinquente assassino, aveva occhi rossi striati di piccole vene scarlatte. Bestemmiava e insultava, strideva, non gridava. Jeshua di Nazareth non poteva evitare un demone al suo fianco? L'altro parlava a voce bassa e cercava di fare in modo che le sue implorazioni giungessero all'orecchio del re dei Giudei. Udì, il re di Giuda, e gli rispose con un piccolo tremolare delle labbra. Il labbro inferiore spaccato dai colpi spietati dei soldati di scorta. Molti dei loro compagni d'armi avevano patito atroci torture durante le campagne per sedare le rivolte dei Giudei, e avere nelle mani il loro re non gli pareva vero.

Il fragore aumentò, nei muri del tempio si aprirono crepe, e in quelli della necropoli se ne aprirono di così larghe da mostrare i cadaveri all'interno.

Il cielo era nero e tragico, squarciato da fulmini, ma non piovve. Solo lampi accecanti. Un caso forse, o una coincidenza, sopra la spianata del Tempio di Gerusalemme. Tutto accadde mentre il comandante del picchetto per l'esecuzione affondava la lancia nel torace del condannato, fra una costola e l'altra. Se non fosse stato per la diligenza del centurione al comando nessuno avrebbe mai saputo se il re dei Giudei fosse morto, come prescrivevano la legge d'Israele e la volontà del magistrato romano.

Mentre tutto accadeva e si consumava, la Madre provava gli stessi dolori lancinanti che provava il condannato, eppure lei non era Kefa, né Giovanni né Andrea che pure conosceva, neppure Giacomo, né Bartolomeo né alcuno dei dodici. Com'era possibile? Sentiva in quel momento la mancanza del suo sposo che potesse impugnare la spada e affondarla nel ventre dell'uomo o del demone che aveva gridato: «Se sei il figlio di Dio, scendi dalla croce!».

Il tentatore. Dunque il demone.

Immaginò che uno dei dodici sguainasse la spada come aveva fatto nell'orto degli ulivi soltanto un giorno prima. Ma il centurione che presiedeva alla esecuzione la fissò dritto negli occhi e nello stesso momento la sua mano impugnò la spada. Poi, senza che nessuno glielo ordinasse, dovette rimetterla nel fodero.

Ma la Madre non poteva afferrare ciò che passava nella mente di colui che aveva gridato: «Se sei il figlio di Dio, scendi dalla croce e ti crederemo!».

All'ora nona suo figlio spirò.

La sua morte fu in un momento.

Nel reclinare del capo, nello scivolare lungo il tronco.

Ma era morto? Come avrebbe potuto morire? Era morto nell'emettere l'ultimo respiro? Era morta la sua anima mentre il corpo aveva ancora sangue caldo e liquido? Non aveva forse resuscitato i morti?

Nella mia mente passava una musica armoniosa e tagliente a un tempo, e una frase in ebraico articolata nella voce del Nazareno.

Eloì, Eloì, lamà sabactani.

In ebraico significava "Dio, Dio, perché mi hai abbandonato?". Quelle parole mi affondarono nel cuore come se una lama mi avesse passato da parte a parte. Sentivo lacrime sgorgarmi dagli occhi e scendere a rigarmi le gote anche se non avevo lacrime né sentimenti e le mie guance erano solcate solo da velenosi pensieri.

Non era lui. Lui non avrebbe mai pronunciato quelle parole... ma in pochi istanti, nell'infuriare del temporale, mi pareva di averle pronunciate io. Avevo freddo come se fossi nudo. E cercavo di capire che cosa stesse accadendo. Non riuscivo a camminare in nessuna direzione e nemmeno ricordavo dove abitassi e da quanto tempo.

Attorno alla Madre c'erano altre donne con il suo stesso nome: Maria di Cleofa e Maria di Magdala. Un altro soldato del picchetto di esecuzione afferrò una mazza e spaccò le ginocchia al condannato di destra e a quello di sinistra. I due urlarono di dolore scivolando in basso e restando appesi solo ai chiodi dei polsi. Era la vigilia del sabato: nessuno avrebbe dovuto fare alcun tipo di lavoro dopo il tramonto del venerdì, neppure i Goyim.

Era anche proibito lasciare i cadaveri sui patiboli, di sabato. L'uomo chiamato Giuseppe di Arimatea aspettò che cessasse la bufera e chiese al suo amico Nicodemo di aiutarlo. Adagiarono il palo traverso a terra, l'insegna con l'accusa rimase attaccata al palo verticale. Sconficcarono con il martello e le tenaglie i chiodi dai polsi del Nazareno e lo trasportarono in una tomba non ancora usata. Davanti all'ingresso era stata scavata nella roccia una trincea larga due spanne e profonda tre nella quale scorreva a spinta una ruota simile a una macina da mulino che sigillava l'ingresso un po' meno largo del diametro della ruota.

Il tuono rumoreggiò ancora a lungo fino a perdersi sul deserto. Il corpo di Jeshua fu appoggiato su un lenzuolo di lino tessuto a spina di pesce che fu ripiegato fino a coprirgli il volto a mo' di sudario. Non ci fu tempo per lavarlo, asciugarlo e ungerlo con gli unguenti rituali.

Usciva dalla bocca della tomba un soffio freddo, quasi gelido. Dal fianco del Golgota i legionari della Decima osservavano la scena, immobili. I corpi degli altri due furono gettati in una fossa comune. Uno era andato prima del tramonto in Paradiso secondo le parole di Jeshua. Ma in quale Paradiso? L'altro nella Geenna, dove arde un fuoco perenne.

I capi del Sinedrio e i sacerdoti avevano chiesto al prefetto Ponzio Pilato di mettere uomini di guardia alla tomba di Jeshua perché i suoi discepoli avevano detto che sarebbe risorto dai morti il terzo giorno. Pilato era un uomo di poche parole e rispose seccato: «Avete la vostra guardia armata del Tempio: usate quella».

Sia Nicodemo che Giuseppe di Arimatea aiutarono le donne a comporre il cadavere e a deporlo sulla lastra per quando sarebbe giunto il momento delle abluzioni e delle unzioni. Raramente in Giudea si sarebbe mai presentata l'occasione di vedere avvolgere con i lini un cadavere insanguinato senza che prima venisse lavato. In quel caso l'imminenza del sabato aveva interrotto qualunque operazione.

Deposto il corpo del re dei Giudei sul banco di pietra, i due uomini fecero uscire le donne. Arrivarono due della milizia del Tempio che fecero una ispezione della tomba a camera ancora aperta. All'interno c'erano scavate varie giaciture per altri morti della famiglia proprietaria quando fosse venuta la necessità.

Uno dei due guardiani si avvicinò al defunto avvolto nel

telo di lino. Si poteva vedere il sanguinamento della ferita inferta nel costato sinistro dal centurione che comandava il picchetto dell'esecuzione. Poi uscì assieme al suo compagno. Giuseppe e Nicodemo spinsero la pietra molare che rotolò nella sua sede fino a fermarsi con un rimbombo sinistro davanti alla cavità tombale.

Quel rombo continuo a udirlo e forse lo udrò per l'eternità. Non so se qualcuno mi notò. La Madre si volse nella mia direzione: mi aveva riconosciuto? Evitai il suo sguardo: era pericoloso, o almeno così lo percepivo, benché piangesse a dirotto e con lacrime grandi come perle. Il sole scendeva verso il mare, che pure non si vedeva da quel punto, il cielo si arrossava e si faceva sempre più scuro, mentre la notte si approssimava. Le donne all'ingresso della tomba si asciugavano gli occhi. Una di loro stringeva al petto un involto che emanava un rumore metallico a ogni suo passo. Era Maria di Magdala e la seguii per un poco a distanza. Poi la lasciai andare, e ben presto svanì nei vicoli che si snodavano nei pressi della porta di Damasco.

Tornai vicino alla tomba. Avrei voluto vegliare io solo: le due guardie non erano necessarie. I discepoli erano terrorizzati e stavano nascosti da qualche parte in città, in un luogo che presto avrebbero dovuto lasciare. I Galilei non possono sopravvivere lontano dalla loro terra e hanno paura delle città, di qualunque città.

Passò la mezzanotte, e nel cimitero regnava un silenzio che percepivo per mia volontà, perché non ero interessato a nessuna manifestazione di vita, nemmeno a quelle della natura. Mi accorgevo che con il passare delle ore mi sentivo sempre più vicino allo stato del corpo che giaceva freddo sulla lastra di pietra tagliata nella roccia della montagna.

E lo stato del corpo era la morte.

Dunque anche io mi sentivo morto, ma allora non avrei dovuto udire né percepire alcunché. Chi è morto non è. Eppure ero nello stato di sapere, di sentire che mi avvicinavo alla morte e al non essere a una velocità sempre maggiore, nel tempo che pure trascorreva.

Che giorno era?

Era il giorno successivo a quello della morte del re dei Giudei, quindi la notte fra il venerdì e il sabato. Forse avrei visto le donne tornare al sepolcro per terminare il loro compito di lavare e ungere il suo corpo e poi avvolgerlo con i lini funebri.

Poteva lui sentirsi morto? Quelli come me possono essere filosofi, e io lo sono. In virtù della filosofia dunque potrei condividere con il cadavere della tomba lo stato della morte senza, com'è ovvio, averne la consapevolezza. Ma c'è qualcosa che m'inquieta, se posso usare questo termine. Ed è per questo che due uomini del corpo di vigilanza del Tempio montano la guardia davanti a questo sepolcro a quest'ora di notte.

Era corsa una voce che aveva inquietato anche gli esponenti del Sinedrio, i sacerdoti e i leviti: il terzo giorno dopo la sua morte il Nazareno sarebbe resuscitato.

Per questo avevano chiesto a Pilato di mettere due soldati di guardia davanti alla tomba, perché i suoi discepoli non venissero a prendere il corpo per poi dire che era risorto.

E se la voce rispondesse a realtà?

Capii che per saperlo dovevo immedesimarmi nel corpo freddo del re dei Giudei. Era fredda l'aria che usciva dalla bocca della tomba dopo la deposizione. Perché? Non poteva venire una corrente d'aria dall'interno della tomba, perché la camera era in comunicazione solo con l'esterno e la roccia era compatta.

Poteva mai respirare un morto? No. Ma se per assurdo – sono un filosofo che usa questo pensiero – potesse respirare, come sarebbe il respiro?

Freddo.

Pensavo che non sarei mai stato capace di entrare nel corpo di un morto, eppure vi entrai. E vi rimasi per tutta la notte. Poi, non so come, sentii un brivido talmente straziante da non potersi sopportare. Una forza tremenda mi cacciava dal corpo morto e vi subentrava. Mi trovai così fuori dal sepolcro (o forse non vi ero mai entrato?) talmente pieno di

15

dolore da non poterlo comprendere nel mio pensiero. Mi sentii oggetto di una vendetta d'immensa e inconcepibile potenza. La pietra molare che chiudeva la tomba era al suo posto; i due soldati della guardia del Tempio dormivano. Albeggiava.

Dove sarei potuto andare? Sentii che la terra tremava e il tuono rotolava rombando dai monti verso il deserto; poi il sole si affacciò all'orizzonte. La pietra molare scorse nel suo solco, spinta da una forza enorme e invisibile e si fermò quando giunse alla estremità orientale. Non potei trattenermi e mi affacciai all'ingresso nell'istante in cui il corpo del re dei Giudei si sollevava dalla pietra e passava i lini che ne avevano preso la forma. Li attraversò come fossero d'aria, e i lini si afflosciarono sulla pietra. Poi il corpo, morto fino all'alba del terzo giorno, si levò sfolgorante e percorse la camera fino all'ingresso. Il luogo era del tutto deserto e silenzioso e l'atmosfera della mattinata di primavera lasciava intendere altri, straordinari eventi.

Furono le donne le prime a raggiungere il luogo, portando una cesta con acqua, spugne e unguenti. Rimasero attonite. Non si aspettavano quello che presto scoprirono: la tomba vuota e la pietra molare rotolata fino in fondo al solco di scorrimento. Stupefatte, si misero a correre verso la città e raggiunsero la casa in cui si nascondevano i discepoli del Nazareno, impauriti. Le seguii e restai nascosto anche io dove nessuno poteva nemmeno intuire la mia presenza.

Presto vidi uscire due discepoli che potei riconoscere: uno di forte corporatura, l'altro più snello e più giovane. Avevo assistito, non visto, all'arresto di Jeshua nell'oliveto, operato da guardie del Tempio ma anche da un ufficiale romano con alcuni legionari. Il discepolo robusto era quello che aveva sguainato la spada e colpito una delle guardie mozzandole di netto un orecchio. L'altro era invece l'unico dei discepoli presente nel luogo dell'esecuzione. I due corsero fino alla tomba, ancora aperta. Entrò prima, ansimando, quello che era arrivato per secondo, poi il più giovane.

D'un tratto sentii ancora un dolore indescrivibile e percepii la stessa presenza che mi aveva travolto quando il lino si era adagiato, vuoto, sulla lastra di pietra che aveva sostenuto il corpo del re dei Giudei. Avvertii la presenza di due invisibili persone e udii risuonare tre parole:

«Non mi toccare.»

II

"... Non mi toccare."

"Perché?" mi chiedevo.

Magdalena si ritrasse fino alla bocca dell'apertura e sembrò quasi cercarvi ricetto. Forse non l'aveva riconosciuto o forse sì, e piangeva a dirotto tendendo le mani. Io potevo udire ciò che lei diceva e ciò che udiva, provare i suoi stessi sentimenti e vedere le immagini che aderivano al fondo dei suoi occhi.

«Chi cerchi?» disse una voce che non aveva pari in tutto il mondo, come la luce accecante che si irradiava dall'interno della tomba.

«Cerco il mio Signore, ma l'hanno portato via e non so dove trovarlo.»

«Non è più qui» disse la voce.

Vibrante, multicolore, armonica come quella di un coro, ma anche cruda e tagliente... per me. Non ci ero più abituato da un tempo abissale. Pensiero senza senso. Quelli come me non hanno tempo né possono concepirlo.

«Non è più qui. È risorto.»

Sentii che una frase simile e molto diversa risuonava nello stesso istante in un'isola lontana: prossima all'oracolo dei morti dei Greci. Perché? Non riuscivo a comprendere tutto perché tutto era cambiato.

Magdalena volse lo sguardo verso di me benché non vedesse nulla. Io vedevo. Vedevo l'immagine che ora aderiva al fondo dei suoi occhi: una figura splendente, un giovane avvolto in un abito bianco immerso in un alone palpitante che faceva male. Quella luce di cristallo destava nell'aria di quel mattino di primavera i colori dei fiori appena sbocciati e i riflessi delle foglie di due antichi olivi. Dalle fronde mosse dalla brezza emanava come un canto, a momenti simile al gemito delle prefiche, a volte a un'armonia esile come un ricordo evanescente.

Quando il giovane discepolo entrò nel sepolcro sul suo volto lessi sorpresa e anche gioia. Era Giovanni, il più intelligente dei discepoli del Nazareno, l'unico a essere presente ai piedi del patibolo, assieme alla Madre di lui. Avevo udito le parole con cui Jeshua l'aveva affidato come figlio alla Madre ritta ai piedi della croce, pallida ed esangue.

Io ero già entrato e compresi lo stupore di Giovanni. Ero stato io stesso nel corpo freddo di Jeshua e avevo sentito l'aderenza del lenzuolo e delle fasce. Ora i lini giacevano sulla pietra funeraria dove il corpo dei defunti veniva adagiato per essere lavato e unto con i balsami profumati. Quando lui mi aveva cacciato, la sua potenza era stata tale da farmi attraversare le fibre senza sconvolgere il lenzuolo: lui era già passato e aveva, con un solo sguardo, divelto la grande pietra molare.

Giovanni soffermò lo sguardo sul lenzuolo: era adagiato sulla pietra senza una piega fuori posto. Le fasce non erano in disordine, e i nodi non erano sciolti. Questo lo convinse.

Ascoltai, non visto, i loro discorsi: «Lo hanno portato via» disse Kefa. «Le guardie si sono addormentate e qualcuno ha portato via il corpo. Avevano tutto il tempo di far rotolare la pietra molare, di prendere il corpo e gettarlo nella fossa comune.»

«E chi sarebbe stato a portarlo via?» domandò Giovanni. «Non le guardie che obbediscono al Tempio, nessuno fra noi.»

«E chi te lo dice?» replicò Kefa. «Hanno avuto la sera prima del sabato, tutta la notte del sabato fino all'alba.»

«Chi?» domandò Giovanni. «Dimmi chi è stato se sei così sicuro!»

«Non ne sono sicuro.»

«Tu sei uno zelota. Portavi una spada la notte dell'arresto del nostro Maestro. Forse pensi che uno di quei tuoi amici abbia preso il suo corpo, ma neppure tu ci credi. Guarda quei lini: com'è possibile che siano semplicemente giacenti sulla pietra! Il corpo ha attraversato le fibre del lenzuolo senza sciogliere le fasce e senza sconvolgere il tessuto.»

«E quindi?»

«È risorto» rispose Giovanni. «Ne sono certo e non capisco perché tu pensi che il corpo del Maestro sia stato trafugato.»

«Perché è la spiegazione più naturale. Il Maestro è morto. Gli hanno trapassato il cuore con un colpo di lancia.»

«Ma tu l'hai visto resuscitare un morto. Perché non potrebbe resuscitare se stesso?»

«Solo il Signore può far risorgere un morto. Se il Maestro è resuscitato tu stai dicendo che è il Signore.»

«È il figlio del Signore» disse Giovanni.

Kefa allibì e tacque.

Restarono all'interno per quasi un'ora, perché quando si incamminarono verso la città il sole illuminava ormai i pinnacoli del Tempio e la sommità della torre di David.

Li seguii mentre si allontanavano dalla necropoli e poco dopo vidi, in un sacello a destra del sentiero che portava in città, tre donne che piegavano i lini con i quali era stato rivestito il corpo del Maestro. Vidi distintamente un'ombra nel lenzuolo, che aveva l'aspetto di un uomo ferito nel capo, nel torso, nelle ginocchia e in ogni parte del corpo: colpi di flagello, una invenzione dei Romani. In tutto e per tutto sembrava l'immagine del Maestro deposto dalla croce e steso sulla pietra funeraria.

Sentii e pensai che l'immagine sul lino portasse in sé qualcosa di immensa potenza. Lì c'era il suo sangue, lì c'era l'acqua espulsa dal suo cuore. Mi avvicinai. Due delle donne continuarono il loro lavoro. La terza donna si volse nella mia direzione, si fermò e mi guardò come se mi vedesse così come io vedevo lei.

Non sostenni il suo sguardo e arretrai. Era la Madre.

Notai che se ne andava e spariva presto nei vicoli che stanno fra la necropoli e la porta di Damasco. Le altre due si ritrassero all'interno del sacello e una di loro stringeva al petto come uno scudo l'immagine dell'uomo martoriato. Non mi ero sbagliato.

M'incamminai allora nella direzione che avevano preso Kefa e Giovanni e quando raggiunsi le mura li vidi davanti a me a una distanza di cento passi.

Molti fra i passanti volsero verso di me lo sguardo, mentre gli altri acceleravano il passo. Mi fermai quando vidi che per qualche motivo stavo attirando l'attenzione, ma non persi la traccia dei due che seguivo. Kefa e Giovanni si fermarono più volte e li ascoltai: sembravano preoccupati, Kefa in particolare, si poteva leggere sul suo volto. Ciò che aveva visto non era ciò che si aspettava: sia l'una che l'altra delle possibili spiegazioni erano per lui fonte di angoscia.

Solo io, in quella città dominata dalla mole smisurata del Tempio, avevo un ricordo.

Il ricordo di una sfida fra me e lui. L'avevo sfidato sulla rupe che pare un teschio e la lotta era ancora aperta.

Giovanni e Kefa erano ora di fronte alla porta della casa in cui con altri amici si nascondevano temendo di essere scoperti e trascinati in giudizio.

"Uccidete il pastore e il gregge si disperderà." In un certo senso era vero. In un altro era falso.

Mi avvicinai a quello che agli occhi di chiunque sarebbe sembrato un cumulo di stracci. Non ai miei.

Magdalena, scossa dai singhiozzi, appoggiata alla porta si spellava le mani per farsi aprire il battente di sicomoro.

«Il tuo pianto è insensato. Non sarai tu a riportarlo in vita. E se fosse possibile la sua non sarebbe la vita che conosci.»

«Chi sei?» mi domandò.

«Non lo so, e dunque non posso rispondere alla tua domanda.»

«Dimmi dov'è lui ora!»

«Sarebbe inutile. Lo hai visto e quasi lo hai toccato, ma non lo hai riconosciuto.»

«Tu menti! Io lo riconoscerei nelle tenebre più fitte, riconoscerei la sua voce nel fragore di una battaglia.»

Non potevo restare e mi allontanai oltre l'angolo della casa. Giovanni e Kefa bussarono alla porta. Magdalena si era alzata e si stava allontanando guardandosi intorno di tanto in tanto. Cercai io stesso un nascondiglio.

Mi ero unito a un gruppo di mercanti che vendevano stoffe, ma non perdevo mai di vista la porta di sicomoro. Sentii, fortissima e improvvisa, una presenza che già conoscevo: un gelo tremendo. Un uomo vestito di un mantello leggero e di una tunica di foggia galilea stava percorrendo il vicolo e la breve piazza che avevo davanti: raggiunse la porta di sicomoro chiusa con il chiavistello. Batté con la mano destra sulla porta e presto qualcuno aprì. Spostai la mia attenzione e la mia presenza sulla scala che saliva al primo piano, appoggiata al muro esterno. Sapevo che in quella casa si stava manifestando l'apparizione del Maestro.

Potevo percepirne la voce come l'avevo percepita ogni volta che era risuonata dalla Galilea alla Giudea alla Pentapoli, da Gerico a Macheronte, da Tiberiade al Giordano.

«Sono io, non vedete? Non sono uno spettro. Ho anche fame: avete qualcosa da darmi da mangiare?»

Potevo vedere l'espressione stupefatta dei discepoli, non riuscivano a pronunciare una parola. E vedevo lui. Le ferite sembravano essere state lavate e asciugate, la pelle lisciata fino a camuffare le scudisciate dei flagelli. Da chi? Da Magdalena. Solo lei avrebbe voluto e potuto accarezzare il corpo di Jeshua in quel modo e con tanto amore, e forse l'avevano aiutata le altre donne. Quando l'avevano fatto? Nella notte violando il sabato? E come si sarebbero impresse sul lino l'immagine delle ferite e le impronte dei flagelli? Eppure era stata la prima a incontrarlo nel primo mattino.

Restai nelle vicinanze dell'abitazione in cui albergavano gli amici e discepoli del Nazareno.

I discepoli Filippo, Giacomo, Bartolomeo si affaccendarono a mettere in tavola quello che avevano, e Jeshua mangiò con loro. Poi se ne andò e io lo seguii con gli occhi finché disparve tra la folla. Attesi ancora e qualcuno di nuovo bussò alla porta di sicomoro. Salì la scala ed entrò salutando tutti gli amici: era Tommaso detto Didimo, perché aveva un fratello gemello. I compagni gli andarono incontro e si assieparono attorno a lui, a raccontargli quello che era accaduto e come avevano incontrato il Maestro.

Tommaso rispose: «Non credo a niente di quello che mi avete detto: se non vedo, non credo a nulla».

«Ma dove hai il cuore?» domandò Kefa. Non ricordi forse le parole che pronunciò in questa camera quando consumammo la cena di Pasqua insieme? L'ultima?»

Tommaso rispose con parole irate: «Tu dici che non ho cuore? Nessuno di noi ne ha, allora, a parte Giovanni che ha avuto il coraggio di restare ritto a fianco della Madre e ai piedi trafitti del nostro Maestro, che noi abbiamo tradito e abbandonato. Ti aveva detto che prima del primo canto del gallo lo avresti tradito tre volte. L'hai dimenticato?».

Kefa gli si avvicinò: aveva le lacrime agli occhi e stringeva le labbra per non lasciarsi andare al pianto.

«Piangi adesso? Lascia che ti rammenti il giorno in cui il Maestro seppe che il suo amico Eleazar era morto. Decise di andare dalle sue sorelle in territorio giudaico e tutti voi tremavate di paura perché l'ultima volta che vi era andato aveva rischiato di essere lapidato. Il Maestro si avviò ugualmente verso la casa di Eleazar e delle sue sorelle Maria e Marta mentre noi restavamo indietro. Fui l'unico a gridare: "Andiamo a morire con lui!". Questa è fede: il resto sono chiacchiere di donne: vi hanno a tal punto impressionati che vedete i fantasmi!»

Kefa replicò: «Hai visto il Maestro chiamare Eleazar dalla tomba dopo quattro giorni che era stato sepolto. Maria aveva cercato di dissuaderlo, perché dalla tomba sarebbe uscito un fetore insopportabile».

«Tu hai sentito il fetore?» domandò Tommaso.

Kefa non rispose e neppure gli altri.

«Ecco! Quindi non era morto. Ci sono persone che possono sopravvivere due settimane senza bere e senza mangiare.»

Passò una settimana. Io aspettavo che i suoi amici e seguaci prendessero qualche iniziativa, e aspettavo che il Nazareno, trionfatore sulla morte, o il suo spettro, se così potevo concepirlo, agisse in modo fisico e solido, così che io potessi comprendere non per darmi per sconfitto, ma per capire l'assurdo. Non persi mai di vista l'edificio della cena del Maestro e dei suoi amici finché non giunse di nuovo Tommaso. I suoi compagni erano tutti presenti. Una voce risuonò dall'interno, il saluto più diffuso in Giudea: *Shalom*. Molti altri risposero al saluto e seguì un breve dialogo fra Tommaso e i suoi compagni. L'interno dell'ambiente era debolmente illuminato da tre lucerne che lasciavano filtrare un minimo di luce attraverso le crepe del legno. Dov'era lui? Non lo sentivo più. Avrei potuto assomigliargli? La mia natura mi spinge a creare quella che i Greci chiamano *Eris*, un demone sanguinario che semina combattimenti e scontri. Non potei però prendere una decisione. Indossai abiti di foggia galilea ed entrai, ma quasi subito fui urtato con violenza da una forza gelida che mi scacciò. Ricordai la stessa sensazione che mi aveva annientato nel sepolcro.

Il giorno dopo, fra gli amici e coloro che li conoscevano dei dodici discepoli, correva una storia: la sera precedente il Maestro era entrato nella stanza della cena di Pasqua passando attraverso le porte e i muri, si era rivolto a Tommaso e l'aveva esortato a mettere il dito nelle piaghe dei polsi trafitti dai chiodi e nella ferita aperta dalla lancia. L'incredulo discepolo si era prostrato e l'aveva adorato come si adora l'Altissimo.

La mattina seguente, prima dell'alba, ero sulla torre di David, visibile agli occhi delle guardie che passavano continuamente lungo il ballatoio, senza mai rivolgermi la parola, forse perché credevano di vedere qualcuno che conoscevano.

Davanti a me si stendeva la città seconda solo a Roma, punteggiata di lumi tremanti sulle mura e sui pinnacoli del Tempio, sui bordi della piscina di Siloe, nei portici della torre di Mariamne e di quelle di Erode. L'abbaiare furioso dei cani giungeva fino a me e una lama di luce spettrale passava sul deserto e sulle nere acque del mar Morto.

Dall'alto vidi due uomini uscire da una casa, vicina al luogo in cui il Maestro di Nazareth aveva consumato la cena, l'ultima, con i suoi amici e discepoli.

Si incamminarono verso occidente per la porta di Giaffa in direzione di Emmaus; io, disceso dalla torre, tenni loro dietro, senza farmi vedere. Per un certo periodo di tempo non cercai di avvicinarmi: sentivo solo forte curiosità per quelle due persone e volevo sapere chi fossero e perché a quell'ora fossero dirette a Emmaus.

Avanzavo nella vegetazione che mi nascondeva quando vidi una figura uscire dalla macchia dall'altra parte della strada e unirsi ai due uomini che camminavano lenti e silenziosi. Era lui, vestito di una tunica con le maniche lunghe, che gli arrivava fino ai piedi.

Camminarono tutto il giorno e giunsero a Emmaus quando scendeva la sera. C'era una locanda all'inizio della piccola città e sicuramente vi avrebbero preso cibo e alloggio. Vi arrivai per primo e salii al piano superiore. I tre si sedettero continuando a discorrere. L'oste servì per primo il forestiero appoggiando un pane davanti a lui. Il Maestro lo prese, lo alzò e lo spezzò, ma alzando le mani le maniche della tunica scivolarono in basso, verso il gomito, scoprendo i polsi e le due enormi ferite dei chiodi della crocefissione.

I due discepoli seduti alla sua destra e alla sua sinistra impallidirono per lo stupore, si inginocchiarono e piegarono la schiena prostrandosi sul pavimento.

«*Kyrie hemòn!*» esclamarono.

Volai via con uno stormo di corvi.

III

L'ombra si allungò fin quasi alla base del telaio, e la figura
che la proiettava sul pavimento si mosse lentamente a piedi
scalzi fino alla persona seduta davanti all'ordito. La mano
martoriata del nuovo venuto si posò sulla spalla della donna. Pochi fili bianchi striavano i suoi capelli.

Un sussurro: «Mamma...».

La donna, la Madre, non si mosse né si volse indietro: sembrava che avesse atteso a lungo quella comparsa. Una lacrima cadde dalle ciglia dell'uomo sulla spalla della tessitrice.

«Quei lini sono inutili ormai, mamma...»

«Sì» rispose lei. «Nessuno può più farti del male. Il dolore e lo strazio hanno abbandonato questa nostra famiglia...
Ti aspettavo da tempo.»

«Non ti sei nemmeno voltata a guardarmi.»

«Questa casa è chiusa; porte e finestre sono sbarrate: chi,
se non tu, Jeshua, avrebbe potuto entrare in questo luogo?
È qui che ti ho aspettato dal mattino al calare della sera ogni
giorno, e piangevo. Vieni, vieni da me, figlio mio.» La Madre si alzò, si volse su se stessa e aspettò l'abbraccio del figlio. Gli guardava le mani e i piedi: suo figlio! Macellato
come un animale: fori enormi nei quattro arti come quelli che hanno le mezzene di buoi e cavalli per essere appese
ai ganci e alle barre. Il figlio l'abbracciò stretta. Le accarez-
zò il volto e i capelli.

«Dov'è Giovanni?» domandò.

«Non lo so, non lo vedo mai. Sta con i suoi amici, è giovane.»

«L'ho visto quando sono andato a far loro visita» soggiunse Jeshua. «Ma non vive con te?»

Maria sembrò titubante, poi rispose: «È spesso a Cesarea, da dove riporta tante notizie. Qui a Gerusalemme... incontra Giacomo che prega tutto il giorno, così che le sue ginocchia sembrano quelle di un cammello».

Quando le parole non le venivano guardava il figlio come incantata, cercava di fissare nel cuore e nella mente le sue sembianze.

Altre immagini affioravano alla memoria: lo rivedeva bambino apprendere i primi passi; in braccio a Giuseppe con in mano uno dei tanti giocattoli che gli costruiva. Sentiva la pelle del suo piccolo sotto il tocco delle sue dita e piangeva. Non osava chiedergli quando l'avrebbe abbandonata.

Stranamente non percepiva la mia presenza, come invece era accaduto il giorno in cui ero passato davanti all'edicola dove le altre Marie preparavano il corpo di Jeshua con grandi quantità di unguenti profumati. Forse semplicemente non voleva.

La Madre e il figlio vivevano in un'aura fatta di attesa, nella luce di un lento crepuscolo. Né l'una né l'altro osavano spezzare il silenzio. Parlavano gli sguardi, gli occhi lucenti, le tracce quasi cancellate di tante percosse. Le mani e i balsami di Magdalena? Lui ricordava quella sua madre dolorosa scossa dai singulti, ritta ai piedi di una croce; ricordava forse una sua carezza sulla coscia che le aveva lasciato la mano intrisa di sangue.

Maria ricordava il figlio in quelle condizioni miserevoli, il gocciolare di stille rosse dalla fronte sulla sua testa, sulle sue mani e sul suo volto, come lacrime di sangue. Poi, all'improvviso, si inginocchiò davanti a lei, le prese la mano e vi appoggiò le labbra con un bacio delicato e le posò il capo in grembo.

Le disse sottovoce che sarebbe andata in compagnia di Giovanni: «Efeso: tu non hai mai visto Efeso, vero? È bellissima, tutta di marmo, bianco, rosa, giallo».

La Madre sorrise pallida poi domandò: «Quando ti vedrò ancora, figlio mio?».

Anche Jeshua era pallido: «Mamma, c'è un motivo per cui ti ho affidato a Giovanni».

La Madre chinò il capo: «Perché andrai via e non so dove e quando tornerai. Forse nemmeno tu lo sai. Sei sempre stato un mistero anche per me, figlio mio». Alzò gli occhi al cielo. «Perché, Signore? Perché io?»

IV

Capri, 33 d.C.

Scesi dalla barca che mi aveva portato a Capri e subito mi vennero incontro due legionari e un centurione.

Ero in un altro tempo, e in un altro luogo. Erano categorie che per me non avevano senso, perché tutti i luoghi e tutti i tempi, nella mia condizione, erano presenti e contemporanei. «Chi sei?» domandò il centurione. «Chi ti ha dato il permesso di scendere su questa isola?»

«Mi chiamo Thamous, sono egiziano e sono il comandante della nave *Dafne* che ora è in manutenzione a Napoli.» Gli porsi un foglio. «Questo è il mio permesso rilasciato dal comando della squadra di Miseno. Come vedi, sono stato chiamato dall'imperatore e ti conviene farmi scorta fino alla sua residenza al più presto. Corre voce che abbia un carattere un po' brusco e che non gli piaccia attendere.»

Il centurione mi fece cenno di seguirlo fino a un carro trainato da una coppia di cavalli che portava gli ospiti alla Villa Jovis, dove viveva l'imperatore Tiberio.

La villa sorgeva a strapiombo in cima a una rupe circondata da altri edifici: alloggi per la guardia imperiale, gli artigiani, l'osservatorio astronomico, una edicola con una piccola ara.

Mi venne incontro un alto ufficiale dei pretoriani per condurmi al cospetto di Tiberio. Mi parve strano perché in quel momento i pretoriani non godevano di buona fama, a causa del prefetto Elio Seiano implicato in varie e torbide vicende.

«Come sta l'imperatore?» domandai.

«Di salute abbastanza bene, di umore pessimo come al solito.»

«Sai perché mi ha convocato, comandante?»

«Non me l'ha detto, ma corrono strane storie. Ecco... siamo quasi arrivati.»

L'imperatore mi ricevette nel cortile antistante la villa e fece cenno di accomodarmi su una sedia del tipo curule che aveva portato un servo, e si sedette lui stesso di fronte a me.

«Da dove vieni?» mi domandò l'ufficiale.

«Dalla Giudea» risposi.

«Eri là per affari?»

«Non propriamente. Un uomo è stato giustiziato per lesa maestà, e volevo capire il perché.»

Nel frattempo erano arrivati altri uomini, evidentemente ospiti dell'imperatore.

«Conosco quell'uomo» intervenne uno degli ospiti, un tale di nome Crisso: un esperto del vicino Oriente, in particolar modo della Palestina.

«Vai avanti» mi disse l'ufficiale dei pretoriani.

«Quell'uomo non era un uomo vero e proprio...»

Tiberio si scosse e aggrottò la fronte: «Che intendi dire?».

«Era una specie di profeta, un nazareno di nome Jeshua» risposi. «Per qualche tempo non ha destato preoccupazioni di sorta e tu sai, Cesare, quanto è sospettoso e ombroso Pilato...»

«Lo so anche troppo bene» rispose Tiberio. «Per poco non ha provocato una ribellione dell'intera Giudea, un vero e proprio incendio. Vai avanti...»

«Il profeta teneva i suoi discorsi pubblicamente, discorsi che però erano di fratellanza, e di lealtà nei confronti delle autorità. Un amico mi ha giurato che quando uno dei nostri, un infiltrato, gli ha chiesto se fosse lecito pagare i tributi a Cesare» Tiberio si fece ancora più attento, «lui ha mostrato una moneta da un denario di tuo conio, Cesare, e ha detto: "Di chi sono il ritratto e l'iscrizione?". "Di Cesare" ha risposto il nostro infiltrato. "Allora" ha detto il profeta "rendete a Cesare quel che è di Cesare e a Dio quel che è di Dio."»

Tiberio mi fissò con un'espressione incuriosita, e fece cenno di proseguire.

«Ci fu un mormorio tra la folla ma non vi furono proteste né insulti. Prova del grande influsso che aveva sulla gente. Si dice che abbia restituito la vista a un cieco, che abbia fatto camminare un paralitico, perfino che abbia resuscitato un morto.» Tiberio era sempre più attratto dalla piega che aveva assunto la conversazione.

«Un morto?» replicò.

«Un morto, Cesare» confermai.

«Sono storie di cui ho sentito parlare più di una volta.»

«Ma a un certo momento le cose sono cambiate. Le autorità giudaiche hanno cominciato a preoccuparsi per il forte ascendente che il profeta esercitava sul popolo, tanto che quando si recò al Tempio in occasione della Pasqua fu accolto da una folla enorme e acclamato come discendente di Davide e cioè re dei Giudei. Questo offrì il destro ai suoi avversari farisei e al Sommo Sacerdote di denunciarlo alle nostre autorità come un pericoloso agitatore.»

Tiberio fece cenno all'ufficiale dei pretoriani di avvicinarglisi e gli sussurrò all'orecchio: «Immagino che ci sia stato un processo...».

Il pretoriano annuì: «Senz'altro, Cesare».

«Vai a Roma e trovami i verbali. Subito.»

L'ufficiale si scusò con gli ospiti e uscì dal gruppo in conversazione, montò a cavallo e si lanciò giù per la strada che collegava la villa al porto.

Era passata l'ora sesta e Tiberio fece portare del cibo per gli ospiti che i servi deposero su piccole mense davanti a ciascuno di loro. Per sé scelse delle verdure e filetti di pesce arrostiti. Ne mangiai anche io. Tiberio si passò un tovagliolo sulle labbra: era il segnale per i servi di portare due coppe di vino, per sé e per me.

L'imperatore si alzò. «Seguimi» disse.

«Ti seguo, Cesare.»

Mi trovai con i piedi sull'orlo del precipizio e d'un tratto mi accorsi che avevo l'imperatore al mio fianco.

«Sei egiziano, vero?»

«Sì, Cesare.»

«Ho sentito molto parlare di te.»

«Posso sapere di che cosa, in particolare?»

«Si dice che alle Idi di Aprile tu navigassi con il tuo vascello spinto dal vento da occidente in prossimità delle isole Ionie...»

«È vero, Cesare.»

«... quando udisti un lamento salire dai boschi dell'isola di Paxos...»

«È la verità» risposi.

«E poi un grido.»

«Sì: *Il Grande Pan è morto!*»

«Qualcuno dice che la frase fosse *Il Grande dio Pan è morto!* Tu cosa dici?»

«Non è vero. La frase è come io l'ho riportata.»

«E come la interpreti?»

«Non ha senso dire che un dio è morto. Gli dei sono immortali. Anche gli imperatori vengono proclamati divini, ma solo dopo morti.»

«Sai molte cose per essere uno straniero.»

«L'Egitto è una proprietà dell'imperatore romano.»

«È vero anche questo.»

«Dunque il Grande Pan non è il dio che tutti conosciamo.»

«Chi è allora?»

«Jeshua, il profeta di cui si parlava poco fa...»

Tiberio annuì.

«Ebbene, è morto all'ora nona delle Idi di Aprile. È lui *Il Grande Pan*, che significa, se non erro, *Il Grande Tutto*. A chi potrebbe riferirsi se non a chi era capace di resuscitare un morto?»

«Si tratta di dicerie» commentò Tiberio.

«Allora ti dirò dell'altro» ribattei fermandomi all'ombra di un pino. Anche Tiberio si fermò e mi scrutò con uno sguardo indagatore. «Non solo resuscitò un morto, un tale Eleazar di Betania: resuscitò anche se stesso il terzo giorno dopo la sua morte, dopo aver esalato l'ultimo respiro sulla croce all'ora nona delle Idi di Aprile.»

«Come puoi esserne certo con tanta precisione?»

«Ero presente. E dopo la sua morte ebbe luogo un fortissimo terremoto con tuoni e folgori.»

«Sapremo se tutto questo è vero appena arriverà il mio ufficiale con i verbali del processo e della morte del re dei Giudei» concluse Tiberio. «All'alba di domani se non ci sono stati problemi. Adesso è ora di tornare dai nostri ospiti» e si incamminò. «Ma mi devi una spiegazione: come hai potuto essere contemporaneamente sul luogo dell'esecuzione e sulla tua nave in mezzo allo Ionio?»

«Avrai certo sentito parlare del dono dell'ubiquità.» Tiberio rispose con un'occhiata perplessa.

Riprendemmo la conversazione con gli altri ospiti, che si protrasse fino a notte fonda e si svolse tutta sull'episodio di Paxos.

All'alba l'ufficiale dei pretoriani arrivò a Puteoli da Roma e là s'imbarcò per Capri dove consegnò a Tiberio, già sveglio a causa della sua insonnia, il verbale del processo e della esecuzione del condannato per lesa maestà.

Risultò che Jeshua il Nazareno era morto per un colpo di lancia al torace assestato dal centurione Longino della Decima legione all'ora nona delle Idi di Aprile nell'anno settecentottantaseiesimo dalla fondazione di Roma.

V

Tiberio, avido di storie tenebrose, di magie e di misteri, non mi avrebbe mai lasciato ripartire, e continuava a interrogarmi: «Avevi mai avuto esperienze simili?».

«L'oracolo dei morti è ancora dove lo vide Ulisse evocando l'ombra di Tiresia dall'Ade» gli risposi. «Lì, nel regno delle ombre, delle nebbie e delle teste pallide, troveresti molte risposte alle tue domande. Si dice che nel momento in cui muore un grande molti defunti si manifestino ai vivi nelle notti senza luna.»

«Chi fece salire dall'isola il cupo lamento che tu stesso udisti?»

«Nessuno può dirlo. Ci fu chi disse un coro di ninfe, e io stesso mi unii a loro e con me parte del mio equipaggio.»

«E il grido *Il Grande Pan è morto*?»

«Una creatura soprannaturale che poteva superare con quel grido l'urlo del vento o il tuono o... me stesso! O il grido, ancora più potente, del Nazareno quando spirò, anche se potei udire solo una frase: *Tutto è compiuto*. Lui aveva poteri tali da far udire la sua voce a grande distanza senza rompere il silenzio della sua morte o il fragore del tuono e del terremoto.»

Insistetti perché mi lasciasse andare con la mia nave, che nel frattempo aveva terminato le operazioni di rimessaggio ed era pronta per essere scaricata a Puteoli e poi proseguire per Ostia; gli offrii persino un passaggio. Tiberio esitò, fui quasi sul punto di convincerlo, ma poi cambiò idea e mi accompagnò all'imbarco. Fece allestire due cavalli, uno per sé e uno per me, e cominciammo a scendere verso il porto. Eravamo ormai giunti e io mi accingevo a salire sul mio *Dafne* quando Tiberio mi fermò afferrandomi per il braccio destro e riprese a parlare. Attorno, sparse per il territorio, potevo vedere le guardie del corpo dell'imperatore, Celti e Germani; e pretoriani, tutti italiani.

«Posso farti io qualche domanda?» chiesi a un certo punto.

«Certamente. Fino a ora sono stato io a porti domande. Parla.»

«Se tu me lo permetti allora posso osare...»

«Puoi osare» rispose Tiberio con un mezzo sorriso.

«Come puoi essere certo che il verbale del processo sia vero?»

«Ho delle spie nei luoghi e fra i popoli che rappresentano punti critici per il mio governo. E questo lo è. La Giudea è un piccolo paese la cui importanza strategica però è enorme. Il confine partico è a ottanta miglia dal mare. Se non ci fossero le mie legioni a presidiare il paese e a difendere i confini orientali della Palestina, un'incursione improvvisa dei Parti spezzerebbe l'impero in due come un'ostrica.»

«Quindi tu sei certo che Pilato volesse liberare il Nazareno.»

«No. Ma ne sono ragionevolmente convinto...»

«E sarebbe stata una decisione giusta?»

«Difficile dirlo» rispose Tiberio. «Nessuno può predire le conseguenze delle nostre azioni e delle nostre decisioni. Pilato ha seguito il dettato delle nostre leggi che non prevedono la condanna a morte per un uomo innocente. Il verbale riporta le parole del prefetto: "Non trovo colpa in quest'uomo, quindi gli darò una punizione esemplare e lo lascerò libero". Penso che quell'uomo come tutti i profeti di quella terra fosse inviso alle autorità religiose del Tempio, che Pilato però non può permettersi di inimicarsi. Sono gli unici con cui può trattare, ammesso che ci sia ancora spazio per le trattative visti i massacri che ha ordinato dopo aver esposto sugli spalti della Fortezza Antonia gli scudi con la mia immagine. Diedi ordine immediatamente di rimuoverli, ma era troppo tardi. I Giudei si ribellarono e Pilato ordinò di sterminarli... Poi l'altra recente carneficina dei samaritani al santuario del monte Garizim. Non si è salvato nessuno.»

Il sole cominciava a declinare sul mare spandendo sull'argento delle acque una lunga chiazza sanguigna, ma ancora non potevo salpare: che cosa voleva da me Tiberio? Mi sorprendeva, se così posso dire e pensare, che l'imperatore dei Romani volesse sapere da me tante cose su uno dei tanti predicatori di quella terra di fanatici.

Qualcuno comunque doveva aver preso in considerazione la possibilità che io potessi dire la verità, sconvolgendo le norme che regolano l'istituzione a cui appartengo, perché in un istante di estasi vidi, ritto a pochi passi dalla cima che teneva il *Dafne* assicurato al molo, uno di quelli che noi chiamiamo "servi del Sommo e del Supremo". Era alto almeno dodici piedi, armato alla foggia del tempo e del luogo in cui mi trovavo ora, e mi fissava con i grandi occhi verdi e freddi. Brandiva una spada e la faceva roteare creando un vento talmente forte da suscitare marosi giganteschi.

Tiberio guardava stupefatto, e mi chiese: «Che cos'è? Non puoi certo salpare con questa bufera e nemmeno io posso partire da Capri».

Mi vennero in mente le parole del Nazareno la notte del suo arresto, quando aveva redarguito Kefa per aver ferito una delle guardie del Tempio che lo stavano arrestando tagliandogli un orecchio: "Credi forse che non potrei invocare il Padre mio, che mi manderebbe dodici legioni di angeli...".

Dodici legioni. Quante volte avevo meditato su quella frase! Davvero il Nazareno, il figlio di un carpentiere, aveva un simile potere? Davvero i servi del Sommo e Supremo erano infiniti come si dice, a miriadi o a miriadi di milioni? E chi era quello che avevo visto ritto a pochi passi da me, possente e minaccioso, con la spada snudata? Era forse uno di quei due che sfolgoravano all'ingresso della tomba che Giuseppe di Arimatea aveva donato per la sepoltura del Nazareno e mia, per alcune infinite, gelide ore? Non potevo saperlo.

Il mio destino era contraddittorio. Avevo sfidato il Nazareno a dimostrare di essere figlio di Dio, quello che noi chiamiamo il Sommo e Supremo, anche se per quelli come noi non c'è redenzione.

Tiberio si volse verso di me con una strana espressione sul volto.

Passò del tempo prima che la tempesta si quietasse e la conversazione fra noi due riprendesse. L'immane guerriero che impugnava la spada era intanto sparito senza lasciare la minima traccia. Nel frattempo avevamo trovato riparo in un piccolo anfratto alla base della grande rupe. Tiberio era sicuro che la sentenza di morte per Jeshua fosse stata pronunciata da Ponzio Pilato nel rispetto della legge...

«... romana» soggiunsi.

«Ovviamente.»

«Io ho assistito alla sua morte sul monte delle esecuzioni capitali. Ha detto poche parole: nessuna di odio, nessuna maledizione, nessuna di vendetta. Lo disprezzavo per questo.»

«Il verbale è chiarissimo: nel processo ha fatto lo stesso.»

«Sì. Dapprima ho pensato che fosse semplicemente un codardo, ben diverso dal suo popolo che si è battuto contro Roma con incredibile coraggio; ma poi ho capito.»

«Che cosa hai capito?»

«Che voleva un mondo nuovo, un uomo nuovo, una nazione nuova, compassionevole, dove ci fosse posto e soccorso per i miserabili, i derelitti, i ciechi e gli zoppi, perfino i lebbrosi. Ho capito quello che nemmeno i suoi discepoli avevano capito. Il Regno dei cieli di cui parlava il profeta non era un sogno che veleggiava fra le nubi, ma un vero e proprio progetto politico: uno Stato con un governo, un senato, forse anche un esercito. Uno Stato compassionevole.»

«E tutto ciò è un pericolo per il nostro modo di esistere?» domandò Tiberio.

«È un pericolo, sì. Il Maestro, come ancora lo chiamano, ha dei seguaci che per lui si getterebbero dalla rupe su cui è costruita la tua villa, e sicuramente cresceranno di numero fino a sovrastare tutti voi. Dovrete abbracciare la loro stessa fede o perire.»

«Non ti capisco» replicò l'imperatore Tiberio, colui che era stato il più grande soldato dell'impero.

«Il tuo mondo è ormai un'orgia ecumenica. I vostri antichi costumi sono perduti e dimenticati. Tutti pensano a un rinnovamento, a un ripristino delle antiche virtù. Gli undici discepoli di Jeshua verranno chiamati "apostoli". Tu capisci il greco e sai cosa vuol dire questa parola. Ognuno di loro diventerà un profeta come il Maestro e diffonderà le sue parole in ogni regione dell'impero.»

«Pensi di impressionarmi, egiziano? Un dio in più su tanti che ne abbiamo e che ha il tuo popolo non farà una grande differenza.»

«I suoi poteri faranno la differenza, te lo assicuro.»

Avevo dato una risposta decisa all'imperatore come mai mi era successo, ma non sapevo se avessi dato una risposta sensata e veritiera, o se era soltanto un modo per sentirmi più sicuro di me. Mi sentivo in una situazione che non riuscivo a comprendere né a spiegarmi. Avevo assistito all'esecuzione orrenda di Jeshua di Nazareth, re dei Giudei come diceva il cartiglio conficcato sulla croce in ebraico, greco e latino. Colui che voleva la pace, l'amore verso chiunque, anche i nemici, rantolava e moriva come i due condannati inchiodati ai suoi lati.

Le parole di sfida che avevo detto allora sul Golgota mi avrebbero marchiato forse in eterno; avevo assistito alla sua resurrezione dai morti ma non potevo annunciarla né dichiararla, perché io militavo in campo avverso, dalla parte oscura. E ora dovevo rispondere alle domande dell'imperatore dei Romani, colui che solo per il fatto di esistere poteva farmi domande a cui era impossibile per me dare una risposta.

Avevo visto, a pochi passi dal *Dafne*, ne ero ormai quasi certo, uno dei due personaggi sfolgoranti che sia io che altre persone avevamo visto dentro la tomba aperta e vuota di Giuseppe di Arimatea.

Ma per quale ragione quell'essere si era manifestato a suscitare una bufera? Era una sfida, una minaccia? Era forse un componente o uno dei comandanti di quelle dodici legioni che il Maestro nel buio di una notte di tregenda aveva evocato?

Se quel muto, spaventoso gigante poteva sconvolgere i marosi, scatenare i tuoni e scagliare le folgori, cosa avrebbero potuto fare dodici legioni di quelle immani creature? Già il Maestro – sua era la voce che cadeva dal patibolo del Golgota – mi aveva colpito con parole tremende e sprezzanti, lontane da quelle con cui si rivolgeva ai suoi seguaci.

Guardai Tiberio e vidi sul suo volto una espressione tale quale sarebbe stata se io avessi pronunciato a voce piena quelle che erano state solo mie riflessioni. Mi fissò dritto negli occhi: «Chi sei?».

Cosa potevo rispondere alla domanda che mi ha posto l'imperatore dei Romani? L'uomo nel cui nome fu emanata la condanna del re dei Giudei?

Gnothi seautòn diceva una scritta sul tempio di Apollo a Delfi: io la vidi e ancora la ricordo. Platone diceva che per conoscere noi stessi dobbiamo riconoscere il divino che è in noi, ed è su questa massima che mi perdo in un pensiero in forma di spirale, un pensiero che non può esistere perché non ho il cervello, l'unica macchina che può elaborarlo. Eppure, se penso, evidentemente esisto non soltanto quando assumo un corpo.

Risuonano in me anche ora le parole che mi caddero addosso dalla croce sul Golgota: maledizione, disprezzo, sdegno. Fui il solo a udirle. Parole che avrebbero potuto annientarmi e che mi riempirono di terrore. Per capire chi sono devo misurarmi con qualcun altro, un *non io* nel quale possa riconoscermi, e forse è stato per questo che poco più di un'ora fa un essere gigantesco, sguainata la spada, ha cominciato a rotearla fino a sollevare un uragano e un vento così forte che avrebbe potuto scagliarmi in fondo al mare.

Ma quell'essere è sparito dopo avermi mostrato la sua tremenda potenza, e ora c'era una sola cosa che potevo rispondere all'uomo più potente al mondo.

«Non lo so.»

VI

Italia centrale, 33 d.C.

Non potevo restare in quel luogo un momento di più. Sentivo che dovevo incontrare il Maestro ora che era vivo, e capire che cosa voleva fare. Non poteva mostrarsi in pubblico come un qualunque umano, quando tanti lo avevano visto morire dopo un'atroce agonia. Avrebbe trascinato il suo popolo in una spaventosa follia. Non poteva nemmeno cercare la morte perché l'aveva già fatto, lui che era nello stesso tempo un dio, un mortale e certamente anche un eroe. Tutti i più grandi eroi dopo aver compiuto le loro grandi imprese hanno affrontato la più tremenda: la discesa agli Inferi!

Ma come avrei potuto raggiungerlo? Chiedendo ai suoi compagni? A Giuseppe di Arimatea? A sua Madre? Capii che non avevo altra scelta che seguire la mia spirale, il mio istinto. Lasciai la nave al suo padrone e mi diressi verso l'interno del paese che subito apparve percorso da una lunga e impervia catena montuosa sovrastata da alti picchi coperti di neve.

Avanzai verso oriente per lunghi e aspri sentieri, che il mio corpo affrontava con fatica e con copioso sudore. Contavo le ore e i giorni con il sole, le notti con la luna e il moto dei pianeti in questa piccola galassia. Dovevo tener presenti anche i miei bisogni di acqua e di cibo: l'uso di un corpo mi pesava sempre di più. Passarono così cinque giorni e cinque notti; giunto sulla sommità di un monte vidi un tempio dedicato a Summano, divinità delle cime. Vi entrai per riposare e lo trovai vuoto, a parte una statua di legno che lo rappresentava in foggia di pastore con un bastone ricurvo stretto nella mano sinistra.

Presi un po' di pane raffermo dalla mia bisaccia, avanzo di un pasto appoggiato su una piccola mensa nelle cucine di Villa Jovis, e vi accompagnai una fetta di formaggio lasciandone un poco per il dio di quella cima, che sembrava un pastore. Mi sentii simile a quel dio rustico, che pure avrebbe avuto poteri sufficienti per somigliare ad altro che a un custode di greggi.

Lungo il cammino c'erano spesso ruscelli di acqua fresca e limpida con cui dissetarmi. A tratti vedevo una figura d'uomo che mi precedeva di buon passo sullo stesso sentiero. Provai a raggiungerlo, perché mi sarebbe piaciuto scambiare con lui qualche parola e conversare, benché non fossi certo di poter parlare la sua lingua.

Giunto a non più di cento passi da quel misterioso viandante accelerai, ma la distanza fra noi non accennava a diminuire. Decisi allora di chiamarlo in latino, lingua che avevo imparato senza difficoltà parlando con Tiberio Cesare e tutti i suoi ospiti: «Ehi, tu, puoi aspettarmi?».

Già da alcune ore vedevo il mare che lambiva da oriente il territorio che stavo attraversando, e mi affrettai ulteriormente per raggiungere l'uomo che camminava sul sentiero per poi insieme dirigerci verso la costa. Su una piccola insenatura notai una cittadina, che distava quattro miglia, come diceva l'incisione scolpita su una pietra miliare.

«Sei diretto verso quella città?» domandai al viandante che ormai avevo affiancato. L'uomo si fermò e si volse verso di me. Mi sembrò di conoscerlo e anche lui mi guardò come se mi conoscesse.

«Non c'è altro che quella» rispose. «E tu, dove vorresti andare?» La sua voce era al tempo stesso sconosciuta e familiare.

«Voglio andarci anche io» risposi, «perché cerco una barca o una nave che mi porti sull'altra sponda di questo mare».

«Ma noi non ci siamo già visti?» mi chiese.

Era molto strano che io non riconoscessi la voce del viandante, che aveva parlato per la seconda volta. Non mi era mai accaduto da quando avevo assunto l'aspetto umano. Riprendemmo il cammino e cercai di riprendere anche la conversazione:

«Non ricordo che ci fossimo già visti. Ultimamente ho incontrato molte persone. Ancora pochi giorni fa ero ospite dell'imperatore Tiberio nella sua Villa Jovis nell'isola di Capri.»

«E che cosa voleva da te l'imperatore dei Romani? Anche io ne ho incontrati di personaggi importanti: parlo del prefetto della Giudea Ponzio Pilato.»

Il viandante pronunciò quelle ultime parole con una voce fonda e scura come quella di un morente. Rabbrividii di freddo e anche di paura senza realmente rendermene conto. Quel suono vibrava come la corda di un arco; cambiai il mio discorso: «L'imperatore dei Romani aveva udito da qualcuno dei suoi ospiti o da altre persone di un evento misterioso...».

«E vorresti parlarmene.»

«Non so perché, ma ciò che dici è vero.»

«Dunque parla.»

«Qualcuno ha raccontato a Tiberio che alcuni giorni or sono il comandante di una nave passò a meridione di Paxos diretto verso l'Apulia, quando un lamento di voci femminili si alzò dalla foresta che copriva l'isola. Su quel coro si levò il possente grido di una voce maschile: *Il Grande Pan è morto!*»

Il viandante mi guardò a fondo negli occhi, come se cercasse di trovare in me qualcosa che gli sfuggiva.

«Era il giorno delle Idi di Aprile, all'ora nona» dissi, pensando che quella data e quell'ora l'avrebbero forse scosso. «Il comandante di quella nave sono io. Per questo Tiberio ha voluto conoscermi.»

«E ora dove vuoi andare?» mi domandò il viandante.

«Nell'Averno, negli Inferi, all'oracolo dei morti.»

Il viandante non disse nulla; incredibilmente, o più semplicemente cambiò argomento: «Servirà una nave».

La trovammo una nave: al porto. Apparteneva a un commerciante di pesce che la stava riparando. Doveva aver affrontato una terribile tempesta.

Il viandante la osservò da tutte le parti e, smontando con grande perizia le tavole da un relitto, riuscì a sostituire i legni marci con quelli buoni che erano rimasti dell'altro vascello.

«Sei bravo con il legname» dissi. «Ma perché mi aiuti? Vuoi forse venire con me, vedere il regno dei morti?»

«È quello che voglio fare.»

«Perché vuoi attraversare l'Acheronte?»

«Perché sono già sceso nell'oltretomba una volta. Tutti prima o poi dobbiamo farlo... ma io ho voluto farlo in un modo atroce, straziante.»

«Che cosa vuoi dire?» gli domandai.

«Quello che tu sai e che non vorresti sapere.»

Si faceva sera, ma né lui né io volevamo porre fine al lavoro, né alcuno di noi voleva prendere cibo.

Non parlammo più finché il lavoro per la riparazione della nave non fu terminato, poco prima dell'alba. Allora la spingemmo in mare, mentre ognuno pensava all'altro, senza mai domandargli chi fosse e perché avesse in mente un pensiero tanto pesante e doloroso. Le domande che non possono trovare risposta feriscono l'anima e poi tornano indietro sempre più amare, a esplodere nel cuore.

VII

Mare Adriatico, 33 d.C.

Il vento fece udire la sua voce e flagellò le onde del mare. Eravamo un ben piccolo equipaggio, ma forte, così forte che il mio corpo riusciva a reggere la furia del mare sul timone senza eccessiva fatica, senza che il cuore cedesse (a chiunque avrebbe ceduto). Il mio compagno di viaggio, il viandante, aveva il governo delle vele con le sartie ed era nella posizione di impedire che l'albero si spezzasse. Il vento mutava direzione e spingeva i marosi contro la fiancata sinistra. A volte udivo le grida del viandante perché la nave gemeva, e anche l'albero maestro a ogni momento avrebbe potuto spezzarsi. Sia io che lui avremmo potuto porre fine a quella bufera, ma nessuno di noi due sembrava volerlo fare.

Il vento tacque da un momento all'altro, il mare si fece color del piombo. E io dissi: «Alcuni giorni fa sono stato investito da una tempesta come questa. Ma non era provocata dal vento del Settentrione-Oriente. Era un turbine che nasceva dodici passi distante da me. Una spada; una spada che roteava nella mano destra di un gigante alto dodici piedi, armato con elmo, corazza, scudo e *pteryghes*. Occhi grigi, molto diversi da come li avevo sempre immaginati».

La nave adesso era ferma, immobile sulle acque di piombo, piatte e senza un brivido.

«Raphael» rispose il viandante.

Avevamo navigato per tutta la notte e ora si vedeva un picco ghiacciato che in lontananza si tingeva di rosa. Il viandante aveva risposto senza esitare, come fosse consapevole di tutto. E lo era. Lo sapevo ma fino a quel momento non avevo avuto il coraggio di ammetterlo, nemmeno a me stesso.

«Raphael» replicai fremendo. «Il più forte, il più temibile, il più spietato.»

«Ti aspettavi qualcosa di diverso?»

«No. Ma perché hai passato la notte con me a riparare questa nave? Perché cerchi, come me, l'ingresso del Tartaro?»

«Perché non ho ancora pagato questo pegno. Chi muore deve prima o poi compiere il suo itinerario nelle tenebre. Lo fece Orfeo, lo fecero Teseo, Ercole, Ulisse. Io sono morto e conosco bene la strada.»

«Lo so, figlio dell'uomo e figlio di Dio: credi che non ti abbia riconosciuto? Ero ai piedi della croce. Io sono entrato nel tuo cadavere prima che fosse sabato.»

«E io te ne ho cacciato prima dell'alba seguente» disse con una voce che finalmente riconoscevo. «Come quella volta che incontrai i due morti invasati da due tuoi fratelli nei pressi di Gadara, usciti da una tomba. Erano così furiosi che nessuno osava più passare da quella strada. Ordinai loro di entrare nei corpi di due maiali e si misero a urlare: "Che cosa vuoi da noi? Sei venuto per tormentarci prima del tempo?".»

«Li conoscevo» risposi. «Ero esistito con loro per tempi inimmaginabili, prima di trovarli in quel luogo costretti nei corpi di due maiali.» Mi volsi al viandante e mi venne in mente la maledizione che mi aveva scagliato dalla croce. Il vento si alzò di nuovo e spinse la nave a entrare in un golfo e poi ad arenarsi su una spiaggia.

Riprendemmo il viaggio camminando attraverso una palude folta di canne: la palude Stigia. In quelle acque nere guizzavano creature ripugnanti.

«Perché hai tanta paura di Raphael?» mi domandò il viandante.

«Perché fingi di non saperlo?» gli chiesi a mia volta.

«Perché ti sei accostato a me scendendo dalle montagne. Eravamo dunque una coppia di viandanti a quel punto, e i viandanti conversano per ingannare il tempo che è lungo e noioso. Mi è capitato solo pochi giorni or sono, seguendo due dei miei discepoli diretti a Emmaus ma... non mi hai risposto.»

Non potei rifiutarmi: «Perché Raphael è uno dei pochi che hanno il potere estremo: quello di annientare qualunque essere vivente. Per uno che non è mai nato, come me, il terrore più spaventoso è essere annichilito, ridotto al non esistente. Tu hai una madre, hai avuto un padre e dunque una famiglia. Non puoi capire cosa significa non essere più niente e nessuno da un istante all'altro».

«Io non posso capire?» disse il viandante fissandomi negli occhi.

Ammutolii davanti alla dichiarazione di un potere senza limiti.

Procedemmo salendo un sentiero che s'inerpicava lungo i fianchi di una montagna, mentre il sole scendeva dietro le rupi di Itaca. La luce radente permetteva di vedere perfettamente la superficie della palude che da terra non si distingueva, coperta com'era da una distesa infinita di canne. Anche l'Acheronte brillava nella luce del tramonto e si poteva vedere che un lembo della palude e un'ansa del fiume circondavano completamente un luogo su cui sorgeva un edificio di pietra grigia, facendone un'isola.

Da quell'isola si levavano gemiti di tante voci diverse che a tratti si univano tutte insieme creando un'armonia di una malinconia infinita.

Attraversammo l'Acheronte e risalimmo il fianco di quella piccola isola fino alla spianata che la sovrastava. Scendemmo a un certo punto in un sotterraneo in cui una specie di cisterna doveva aver raccolto il sangue di innumerevoli vittime con cui placare gli dei degli Inferi, con il passare di secoli e millenni.

Al calare della notte i lamenti si fecero più frequenti e intensi e lo spazio, sempre più vasto e freddo, sembrava via via più popolato di spettri, che nella luce del giorno si sarebbero dissolti. In basso una nave con una grande vela bianca stava attraccando in una piccola rada contornata di cipressi. A bordo portava un'altra moltitudine di creature, bambini, sembravano.

Il viandante si volse verso di me e il suo volto mi accecava, sembrava illuminare come una lampada lo spazio circostante gremito di spettri. Alcuni divennero riconoscibili: Hanna, suocero di Khaifa, l'imperatore Augusto ; il volto del viandante lo illuminò perfettamente, identico al suo profilo sulle monete. Poi illuminò...

... Giuda!

Si leggeva bene attorno al suo collo il segno della corda con cui si era impiccato dopo aver tradito il suo Maestro. Giuda cercava inutilmente di coprirsi il volto con il mantello. Lessi senza difficoltà le parole sulle labbra di quello che ora non potevo più pensare come un semplice viandante: «Vuoi darmi un altro bacio, Giuda? Ti dissi, ricordi?, "questo doveva accadere, ma guai a colui per il quale questo si compie". Trenta denari: ne valeva davvero la pena, Giuda?».

Intervenni: «Lascialo stare. Sono stato io a convincerlo a venderti agli scribi e ai sacerdoti per trenta denari, io a convincere Kefa a mentire tre volte prima che il gallo cantasse».

Jeshua il viandante si volse di nuovo verso di me: «Hai fatto quello che dovevi e che sei solito fare. Ma Kefa che sarà chiamato Pietro mi voleva bene e io volevo bene a lui. Mi ha spezzato il cuore».

Giuda sparì in mezzo alla moltitudine di spettri che gemevano e piangevano. Avrebbero aspettato il giorno del giudizio in quel luogo tetro e nebbioso per secoli e millenni.

Tornai indietro verso l'ingresso e guardai in direzione della rada. La nave con la vela bianca era piena di pallidi passeggeri che scendevano uno dopo l'altro passando sull'acqua e poi seguendo la lunga fila dei cipressi. Vidi altri che conoscevo o che avevo conosciuto nell'interminabile tempo della mia esistenza.

Vidi anche a terra la mia ombra proiettata dal luminoso volto del Nazareno e mi volsi verso di lui. Lo ebbi di fronte. Mentre i nuovi venuti sfilavano alla mia destra e alla mia sinistra gli domandai: «Ho riconosciuto delle persone; ma sono veri? E sei stato in questo luogo quando il tuo corpo martoriato giaceva freddo nella tomba di Giuseppe di Arimatea?».

«Non sono solito parlare con quelli come te: militiamo in campi avversi e un giorno l'armata delle tenebre a cui appartieni si scontrerà con l'armata della luce nella valle di Harmageddon. Tutti coloro che vedi qui sono veri come è vera la morte. Ma alcuni potrebbero essere ciò che la tua mente vuole vedere. Potresti incontrare Ercole, Achille, Teseo, Bellerofonte, come io ho visto Davide re di Israele, Mosè, Aronne e Giovanni il Battista che teneva fra le mani la sua testa decapitata, ma anche Giuditta che non è mai esistita.»

«E io?» domandai. «Anche io dovrò combattere ad Harmageddon fra Satana e Azazel ed essere annientato dalle spade di Raphael, Michael e Gabriel? Nessuno può scampare alla loro micidiale potenza. Ma perché? Io non ho chiesto di essere su quel campo di battaglia. Non ho mai chiesto di esistere, non ho mai voluto la battaglia in cui sarò annientato come non fossi mai esistito. È giusto questo, figlio dell'uomo e figlio di Dio?»

Mi guardai intorno e vidi solo teste pallide e fantasmi e pensai che nemmeno un fantasma sarei stato, quando fosse venuta l'ora. Nemmeno quello.

VIII

Il viandante nazareno salì per primo sulla nostra barca, e poco dopo anche la nave con la vela bianca salpò l'ancora, senza equipaggio, senza un'anima viva al timone e alle sartie; la vela si alzò lentamente lungo l'albero di maestra, fissata al pennone, e un piccolo stormo di gabbiani neri prese il volo dallo scafo e dai pennoni diretto a oriente. Erano passate molte ore senza che me ne accorgessi e già albeggiava. Il volto di Jeshua non irradiava più luce o forse la luce del suo volto si confondeva con quella del sole nascente.

Tacemmo a lungo, ma quando vidi che la nostra nave prendeva la direzione meridione-oriente osai chiedere: «Dove andiamo?».

«A casa» rispose Jeshua, ora al timone. Quando dava forza alla barra per contrastare la pressione del mare tutti i muscoli del suo corpo si tendevano come se fosse un atleta olimpico.

Mi stupiva il fatto che non si fosse sbarazzato di me, e che anzi avesse tollerato la mia presenza lungo il sentiero sulla montagna, e avesse accettato che lo affiancassi nel lavoro notturno per riparare la nave. Ancora eravamo stati insieme nella traversata del mare e poi nell'attraversamento della palude e durante l'attracco nel piccolo porto ai piedi dell'oracolo dei morti, e ora ancora sulla nave in alto mare. Ricordavo bene le parole roventi che erano cadute su di me dalla croce, così diverse da quelle che avevo udito lungo questo viaggio.

«Perché hai voluto affrontare il mondo dei morti?» domandai. «Hai avuto un giorno e due notti da trascorrere nell'aldilà, per incontrare i profeti, i re d'Israele e le anime di tutti i giusti.»

Jeshua non disse una parola.

Fui io a rompere di nuovo il silenzio: «Forse volevi vedere se era vero che c'è un Elisio per chi è stato buono e onesto e un Erebo per punire con atroci torture gli assassini, i ladri, gli stupratori? E scoprire se esiste un altro luogo per chi non ha fatto, come me, né bene né male?».

Jeshua mi fissò duro: «Tu mi hai visto morire, hai visto la lancia del centurione Longino trapassare il mio cuore».

Portava una tunica da fatica, i capelli corti, e mostrava un corpo scultoreo, un corpo che sembrava allenato in una delle palestre che formavano gli atleti di Olimpia e che in Palestina erano proibite. I segni della flagellazione erano scomparsi, le stigmate della crocefissione erano sparite, la ferita al torace era ora una cicatrice. Il volto appariva disteso e irradiava, quando era nell'ombra, una luce misteriosa.

«Ti ho visto morire e ora ti vedo vivo già da tempo. Io stesso quasi non posso crederlo.»

«Mi hai visto morire perché l'ho voluto io...»

«Sì, ti bastava chiedere al Padre tuo dodici legioni di angeli, non è vero? E forse anche perché dovevi risplendere nuovamente come il sole che si spegne quando cala la notte, ma poi di nuovo compare all'orizzonte all'alba del giorno seguente. Io non potrò sperare nulla di tutto ciò. La spada di Raphael non concede scampo. Quando ti vidi percorrere il sentiero sulla montagna, non so perché, speravo che mi avresti rivelato il motivo e la ragione del mio destino.»

«Non ti è concesso e non è concesso nemmeno a me, che pure ho offerto in sacrificio il mio sangue, il mio corpo, la mia vita...»

«Non arriverò mai, allora, a conoscere la mia natura né a scoprire, come dice il grande filosofo, quello che c'è di divino in me.»

«Non c'è nulla. E non chiedermi perché. L'infinito mistero dell'Altissimo non si apre nemmeno per me. Figurati dove mai possa arrivare un filosofo.»

Non potevo ribattere altro. Avevo camminato al suo fianco sui dirupi del monte, e avevo condiviso con lui la sua catabasi. Pensavo perfino di diventare suo amico dopo aver ascoltato i suoi discorsi e dopo aver assistito negli Inferi al suo breve, generoso colloquio con Giuda, l'uomo che, con il mio aiuto, lo aveva venduto. Kefa era ancora vivo, e non mi aspettavo certo di trovarlo negli Inferi, benché lo avesse rinnegato tre volte.

Ora la nostra nave fiancheggiava la lunga teoria di isole rocciose che orlavano la costa illirica, che sapevo frequentata da numerosi pirati.

E fu proprio quello il mio grido quando vidi una liburna doppiare un aguzzo promontorio, e poi un'altra e un'altra ancora: «Pirati a poppa!». Ma non avevo paura né ansia, nessuna nave pirata avrebbe potuto aver ragione del nostro piccolo vascello, né dell'ancora più ridotto equipaggio. Erano loro, gli assalitori, che dovevano temere. Il mio compagno di viaggio aveva sconfitto la morte, e io non avevo ancora messo alla prova le mie forze. Volevo comunque sapere quali fossero le intenzioni degli assalitori. Un piccolo stormo di corvi spiccò il volo dalla nostra nave e anche io li seguii in volo.

In poco tempo sorvolai, una per volta, le tre liburne. Due erano navi d'assalto, la terza era carica di bambini e di bambine da vendere nei mercati di schiavi. I maschi sarebbero stati mutilati o azzoppati o deturpati in qualunque modo per essere avviati all'accattonaggio. Le bambine sarebbero state avviate a sopportare ogni turpitudine da uomini depravati che a loro volta le avrebbero affittate ad altri pervertiti e dissoluti.

Jeshua, il viandante nazareno risorto dai morti, comprese immediatamente che cosa stava accadendo e mi guardò con un'espressione più eloquente di qualunque parola. Capii quello sguardo. Significava che potevo agire con la forza di un uragano.

Adunai in pochi istanti nubi nere, nembi che si scontravano con immane potenza. Da un capo all'altro del mare e dei monti scagliavano folgori che colpivano le cime e facevano rotolare sui fianchi delle montagne tuoni fragorosi. Due navi furono fatte a pezzi, i fulmini le incendiarono e tutti i pirati bruciarono come torce urlando nel turbine di fuoco che tutto divorava.

Poi il mare si quietò, il cielo si rasserenò e una brezza da nord-est soffiò sulle vele, spingendo la nave con i bambini al fianco della nostra.

Leggero come un gabbiano Jeshua si posò sul ponte della nave dei bambini, che subito gli si radunarono attorno. Sorrideva, e accarezzava quelle creature con meravigliosa tenerezza. Forse aveva desiderato avere una famiglia e dei figli. Forse ricordava in quel momento la sua infanzia e pensava che tutti i bambini avrebbero dovuto averne una uguale.

Cosa pensava in quel momento di me? E io cosa pensavo di me stesso? Avevo compiuto un'azione buona? Non era possibile: era contro la mia natura. Durante la tempesta pensavo alle legioni di Jeshua. Forse mi aveva mandato i suoi invisibili combattenti in aiuto?

Dopo sette giorni di navigazione sbarcammo in Cilicia, e ci incamminammo verso un luogo incantevole, talmente bello che mi sembrava impossibile. Vendetti la nave dei bambini e con il ricavato feci un patto con un agricoltore e sua moglie perché si prendessero cura di loro. Aggiunsi che se non avessero rispettato il nostro contratto li avrei bruciati vivi. Ero molto efficace quando mostravo la mia natura, se pure avevo una natura: non l'avrei saputo mai. Ma li avevo convinti che quello che avevo detto l'avrei mantenuto.

Jeshua aveva le lacrime agli occhi quando, riprendendo il cammino, i bambini cantarono tutti insieme una canzone fatta di tante lingue e di tante voci, ma non ebbe per me nemmeno una parola. Fui io però a trovare un pescatore sulla costa che ci portò fino a Biblo. Per lungo tempo stemmo seduti, lui a prora e io a poppa, lui a spaziare con lo sguardo sul mare e nel cielo; io a testa bassa. Nessuno di noi due disse una parola, tuttavia la brezza del mare e la luce del cielo erano una gioia per la sensazione che mi davano.

Pensavo alla nebbia, ai gemiti, al pallore dei volti negli

Inferi e presso l'oracolo dei morti e mi chiedevo se anche io sarei stato confinato in quel luogo senza spazio né dimensione, senza respiro, senza luce né colore.

Biblo era bellissima, non meno di Gerusalemme. Avrei potuto godere del sole, della folla variopinta, delle danze e dei canti, ma come tutti quelli della mia natura avevo in me un sentimento perennemente e tremendamente cupo e oscuro, che era il carattere di tutta la nostra genìa.

Avevo assistito al supplizio di Jeshua: la flagellazione che ti strappa la pelle di dosso, la crocefissione che t'inchioda al legno. Straziante! E poiché anche io avevo indossato un corpo sapevo bene cosa significava.

Ma il mio strazio era cento volte più forte. Era come portarsi dietro giorno e notte l'inferno. Era là, come a Tiro e Sidone, che nei periodi di massimo pericolo per la città si offrivano i bambini a Baal, che pure è uno di noi, passandoli per il tofet. Chissà che cosa pensava Jeshua dei bambini che venivano offerti al fuoco di Baal. Quanti ne erano stati sacrificati? Perché non eri arrivato prima?

IX

Gerusalemme, 33 d.C.

Trovammo un'altra barca e facemmo vela a meridione; vedemmo quattro tramonti sul mare e quattro alberi dietro il monte Libano coperto da una maestosa foresta di cedri, finché giungemmo in vista del porto di Cesarea marittima. La città era il prodotto della migliore architettura romana agli ordini di Erode detto il Grande. Aveva un bellissimo porto con i moli e gli attracchi per decine e decine di navi. E sulla punta del molo maggiore, un faro. Dietro si poteva vedere l'agorà e già dall'imbocco del porto potevamo scorgere il teatro e il circo per le corse con i carri. In un certo modo la città sembrava una piccola Alessandria. Mancava solo l'anfiteatro per i combattimenti dei gladiatori, disprezzati sia dalla cultura ebraica sia da quella greca. Un enorme acquedotto ben visibile dal mare forniva acqua alle terme, alle piscine e al consumo dei cittadini. Ricordai che il tentativo del prefetto Ponzio Pilato di costruirne uno a Gerusalemme per ovviare alle scarse condizioni sanitarie usando parte del tesoro del Tempio aveva provocato una rivolta a stento domata.

Jeshua mi fece segno di ormeggiare. Era quasi ai confini con la sua terra, ma non aveva ancora deciso cosa avrebbe fatto.

Una sera decidemmo di mangiare qualcosa in un locale del porto, anche se erano molte le persone che avevano visto Jeshua in Galilea quando ancora predicava pubblicamente, ma a lui sembrava non importare.

«Sei pratico della residenza del prefetto, a Gerusalemme?» mi domandò.

"Ponzio Pilato!" pensai dentro di me. Ma perché? Non osavo chiederglielo. Ma ovviamente non era necessario. Lui poteva leggere il mio pensiero.

«Meglio passare attraverso la moglie, Claudia Procula» disse Jeshua. Compresi a cosa alludeva. Secondo una storia che era molto circolata subito dopo l'esecuzione sul Golgota, nel momento in cui il prefetto Pilato dovette prendere la decisione finale la moglie gli fece arrivare un messaggio con una frase: "Non immischiarti nel sangue di questo giusto. In sogno ho molto sofferto per causa sua".

«Tu conosci bene gli ambienti istituzionali e gli appartamenti privati di Pilato?»

«Sì» risposi. «Ero là quella sera, fra i sacerdoti del Tempio e i membri del Sinedrio... E anche tu, purtroppo.»

«Ricordo» rispose Jeshua accennando con il capo e velando il volto. Parlò con un tono di voce profondamente umano, al punto che avrei quasi potuto pensare che stesse per nascere un'amicizia fra noi. Stolto che ero! Subito dovetti ricredermi: fra lui e me c'era un baratro incolmabile. Lui sarebbe stato eterno, con quel corpo rifulgente di gloria, mentre io sarei stato annientato dalla spada di Raphael, spietato comandante di mille angeli armati, o forse di mille miriadi.

«Conducimi al pretorio» concluse.

Dopo due giorni di navigazione, approdammo ad Haifa. Da lì raggiungemmo Gerusalemme. Lo condussi nella Fortezza Antonia, dove c'era il pretorio, e lì aspettammo nascosti dietro due colonne Claudia che rientrava, scortata da un paio di legionari. La moglie di Pilato era molto elegante; i capelli le accarezzavano le spalle mossi dalla brezza notturna e camminava leggera come una colomba che volasse fra quelle mura aspre e severe.

Dovemmo renderci invisibili ai legionari di guardia, e poi dovemmo svegliare Claudia come se fossimo al suo servizio. Fui io l'incaricato, mentre Jeshua si sedeva sulla sedia curule fiancheggiata da due lanterne accese. Da quella sella Pilato aveva pronunciato tutte le parole da cui fu scritto sul *titulus* il motivo della condanna: *Iesus Nazarenus rex Iudaeorum*.

Claudia era distesa sola nel suo letto e nella sua camera privata, apparentemente addormentata, forse per una giornata faticosa che aveva condiviso con il marito, e io dovevo riuscire a svegliare la moglie del prefetto di Giudea senza che si mettesse a soqquadro l'intero pretorio. Eppure non me ne feci cruccio, anzi: chiedere a una persona un favore molto grande o addirittura troppo grande significa che la si considera un amico, cosa che certo non mi avrebbe guadagnato alcuna stima presso coloro che mi avevano mandato ad assistere agli eventi epocali che accadevano a Gerusalemme, e che avrebbero cambiato il mondo. Non a caso il figlio di Dio e dell'uomo aveva schierato in terra i tre più possenti condottieri dell'armata della luce: Raphael, Gabriel e Michael.

Non sapevo per quale motivo il mio compagno di viaggio avesse voluto entrare con me nel pretorio e per di più nella sala del giudizio. Entrai nella camera di Claudia scalzo, per non fare nemmeno un fruscio, tenendo in mano un drappo di stoffa per soffocare un eventuale grido della bellissima signora.

«*Domina*» le sussurrai in un orecchio, e quando la vidi improvvisamente turbata e seduta di scatto sul letto, aggiunsi: «Perdonami, non volevo disturbare il tuo sonno ma dovevo assolutamente dirti una cosa che ti sorprenderà enormemente e di cui vorrai senz'altro sapere».

Claudia mi guardò con un'espressione indecifrabile. Avrebbe voluto chiamare in aiuto i legionari ma si trattenne: voleva assolutamente capire che cosa stava succedendo. Giunti presso una colonna le feci cenno di porvisi al riparo per non farsi scoprire.

Jeshua sedeva sulla sella curule su cui era stato assiso il prefetto di Giudea Ponzio Pilato per il suo interrogatorio, non molto tempo prima. A destra e a sinistra due lucerne spandevano una luce rossastra, che proiettava sulle mura le ombre di due aquile di bronzo. Claudia si volse verso di me, smarrita.

Le dissi, indicando Jeshua: «Devo chiederti una cosa: se vuoi far capire a tuo marito il tuo turbamento a causa di quel giusto, sveglialo e portalo in questa sala. Il sangue di quel giusto è stato versato fino all'ultima stilla, ma come puoi vedere ora è vivo».

Claudia guardò Jeshua, stupefatta. Poi si incamminò per raggiungere la camera da letto e svegliare suo marito.

«Svegliati» gli disse, «e seguimi. C'è una persona che devi vedere.»

«A quest'ora?» disse Pilato fregandosi gli occhi.

«Sì, a quest'ora» rispose Claudia prendendo una lucerna a olio. «Ricordi quando condannasti alla croce il Rabbi di Nazareth? E ricordi il messaggio che ti feci recapitare?»

«Certo che lo ricordo. E non ho mai capito che cosa tu volessi dire.»

Pilato aveva letto più volte il *De officiis* di Cicerone, ma ormai i tempi erano cambiati. Fra i primi imperatori c'erano stati tiranni sanguinari che indulgevano all'adulazione e alla piaggeria e a ogni sorta di follia, come Caligola e Nerone.

Claudia, con il suo nome altamente aristocratico, richiamava senza ombra di dubbio la dinastia dell'imperatore regnante, e gli aveva inviato un messaggio proprio mentre lui cercava di dipanare una matassa troppo intricata: il prefetto non poteva inimicarsi il clero del Tempio, l'unica sponda a cui appoggiarsi, l'unica parte sociale con cui poteva trattare. L'imperatore non voleva guerre; voleva sempre una soluzione diplomatica. Quanto al messaggio di Claudia, si ricordava ogni parola, ma non riusciva a capirne il significato.

«Seguimi e forse capirai.»

Data l'ora di notte, Pilato indossò l'armatura e mise a tracolla il cinturone con la spada. Fece un cenno ai due legionari di guardia, ma Claudia li fermò con la mano aperta: «No, non ce n'è bisogno» e continuò a camminare con la lucerna in mano fino all'ingresso della sala del giudizio. Teneva per il braccio il marito e gli indicò l'uomo seduto sulla sella curule che gli volgeva le spalle.

«Chi sei?» gli domandò Pilato. «Voltati!»

Jeshua fece ruotare la sedia per intercettare la luce e si mostrò a Pilato che restò come stordito.

«Non è possibile» mormorò.

«E invece è accaduto» replicò Claudia. «Guardalo bene,

è lui. È l'uomo che hai condannato alla croce. È stato ucciso, è stato sepolto e ora è vivo. Resuscitato. Guardalo bene. È davvero lui!»

«I morti non resuscitano» rispose il prefetto con voce ferma. «C'è una legge, Claudia, che va rispettata. Ho interrogato Longino, il centurione che comandava il picchetto di esecuzione, e ho controllato attentamente il suo rapporto e... il re dei Giudei è stato ucciso con un colpo di lancia al cuore. Quest'uomo è un impostore.»

Jeshua gli fece cenno di avvicinarsi. La luce delle lanterne tagliava in due il suo volto, e l'espressione di Pilato era quella di un uomo sconvolto. Claudia capiva il suo smarrimento, e forse gli era affezionata. Era lei che aveva chiesto di seguirlo in Palestina. Gli disse: «Parlagli, o rispondi alle sue domande».

Pilato chinò il capo: «Perché sei tornato?».

«Allora mi riconosci» replicò Jeshua.

«Sì. E tu riconosci questo luogo dove fosti condannato?»

«Certo. E ho voluto io che andasse così.»

Pilato replicò: «Non parlavi, non rispondevi alle mie domande. Mi irritavi. Mi risolsi a mandarti da Erode Antipa».

«È vero. Eppure tua moglie sapeva cosa dirti, ma invano.»

«Pensai a tutti i modi possibili per risolvere l'intrico della legge giudaica e quella di Roma e giungere a un verdetto, ma senza risultati.»

«La crocefissione alla fine ti sembrò il modo più pratico. Hai mai pensato a quanto un uomo possa soffrire inchiodato per i polsi e le caviglie per ore? Con il peso del corpo che poggia sulle ossa nude dei piedi?»

«Ti feci flagellare sperando che la folla si calmasse, ma fu peggio.»

Jeshua intanto si era avvicinato al parapetto del pretorio che dava sul *lithòstrotos*, il pavimento di lastre di calcare dove si erano accalcati in molti per sentire le parole del Rabbi di Nazareth.

«È da qui che mi mostrasti alla gente che urlava. E mi mostrasti come un trofeo, *Ecce homo*!»

«Non volevo mostrare un trofeo. Volevo che la gente com-

58

prendesse che l'uomo che eri tu non poteva essere un pericolo, né per il Tempio né per Roma.»

La notte era ormai avanzata: dalla terrazza del pretorio si vedeva tutta la città con le piccole luci che illuminavano qua e là anche i luoghi da cui era passato il Rabbi galileo nella sua lenta e dolorosa ascensione verso il patibolo.

Mi chiedevo come sarebbe finito l'incontro fra Pilato e l'uomo che aveva condannato a morte. Non poteva terminare come una visita fra vecchi amici.

Non ci fu bisogno di un mio intervento.

Intervenne Claudia.

X

Ero rimasto stupito dal fatto che Jeshua si fosse seduto sulla sella curule, il Rabbi galileo non aveva mai amato i simboli del potere. Pilato si era seduto sull'altra, pressoché identica, quasi a riaffermare che egli era pur sempre il più alto magistrato in Palestina.

Claudia gli si avvicinò mettendosi alle sue spalle, e restando in piedi in segno di rispetto. In quella posizione vedeva sia l'uno che l'altro: due uomini di enorme potere che avevano fatto irruzione nella sua vita, e disse: «Posso parlare senza interrompere il filo del tuo discorso, Ponzio Pilato?».

«Ciò che mi è accaduto non può accadere, penso, a nessun altro... e penso che non accadrà neanche nel futuro» rispose il prefetto, e continuò rivolto a Claudia: «Per questo ti prego di dirmi che cosa ti spinse a inviarmi quel messaggio». Sembrava che le parole gli uscissero a fatica dalle labbra.

Claudia iniziò a parlare. «Tu non conoscevi quest'uomo» disse rivolta al marito. «Ma io lo conoscevo. Non lo avevo mai seguito con le altre donne, ma sapevo che cosa significava per me.»

«Qualcosa che io non conosco?» disse Pilato con un'ombra di cruccio e forse anche di gelosia nella voce.

Claudia volse lo sguardo a Jeshua e poi a Pilato: «Non esiste nulla che tu non sappia di me, né nulla che io non sappia di te... da quando ero una bambina».

«E quindi?»

Jeshua rimaneva silenzioso, ma rispose Claudia al marito.

«Tu hai messo a verbale tutto il processo?»

«Sì» rispose Pilato.

«E l'hai inviato al senato? O all'archivio di Stato?»

«Questo non lo ricordo.»

Pilato stava mentendo. Io ricordavo perfettamente quando alla Villa Jovis l'imperatore Tiberio aveva ordinato a un tribuno della guardia di correre a Roma all'archivio di Stato e riportargli, il più presto possibile, il verbale del processo. Ora il problema era: se Tiberio aveva avuto copia del processo di Jeshua dall'archivio, come mai Pilato non lo voleva dire? Poteva essere che ci fossero due copie, che si contraddicevano l'una con l'altra? Che Pilato non volesse far arrivare certi particolari al senato? Era questo il vero motivo per cui Claudia era così turbata?

Quella domanda di Claudia aveva forse fatto capire a Pilato il perché del suo messaggio, ma Claudia non volle lasciare nell'ombra nessun punto di quella notte angosciosa: «Ero certa che l'esecuzione del Rabbi di Nazareth avrebbe creato qualcosa di inimmaginabile. Per questo nessuno aveva voluto farsene carico: non il Sinedrio, non il re di Galilea Erode Antipa, e nemmeno tu» disse fissando negli occhi il marito. «Per questo hanno cercato di convincerti a pronunciare la sentenza di morte. Ma se tu avessi accettato avresti caricato una responsabilità enorme sulle autorità romane. A partire dall'imperatore, che già era furioso per gli errori che avevi commesso nei primi momenti del tuo insediamento a Gerusalemme.»

Il Rabbi si avvolse sulle spalle il mantello come se avesse freddo. Freddo per chi era sceso all'ingresso degli Inferi!

«Tu sai chi c'era nel Getsemani la notte del suo arresto» disse Claudia additando il Rabbi seduto in silenzio di fronte a Pilato. «C'erano, in occasione della Pasqua, fra i quattro e i cinquemila galilei, armati fino ai denti e sdraiati nella piantagione degli ulivi. Se si fossero accorti dell'arresto del loro Messiah sarebbe scoppiata una rivolta, e le speranze di Tiberio di mettere pace a Gerusalemme e in Giudea, e di porre fine ai bagni di sangue, si sarebbero dileguate.

Tiberio, che pure è stato il più grande soldato dell'impero, è contrario alla guerra e alla violenza. È abbastanza informato sul Rabbi di Galilea e sa che la sua è una ideologia di pace. Pensa che, se questa ideologia prendesse piede, il problema della guerra in Palestina sarebbe risolto.

Quando decisi di mandarti quel messaggio avevo da poco ricevuto notizia che l'imperatore aveva in animo di convocare un senato consulto per approvare una legge che consentisse il culto di questo Jeshua in Palestina. E dopo ciò che ho saputo sul Rabbi galileo e che ho fatto sapere all'imperatore non mi stupisce che Tiberio stia pensando a una decisione come quella che ti ho appena riferito. Ecco perché il senato deve sapere tutto. E capisci perché non dovevi immischiarti in una condanna?»

Claudia si fermò davanti a Pilato, poi chinò il capo davanti al Rabbi; infine tornò alle sue stanze.

Restarono Ponzio Pilato e Jeshua, seduti uno di fronte all'altro nella profonda oscurità del pretorio, appena rischiarato dalle due lanterne. Io stesso stentavo ad accettare la scena che avevo davanti agli occhi: un morto resuscitato seduto davanti al prefetto che in nome del senato e del popolo romano lo aveva condannato a morte pochi giorni prima per crocefissione. La mia natura in realtà è tale da farmi accettare qualunque immagine, qualunque espressione e qualunque suono. Ricordavo la domanda di Pilato: "Veritas, quid est veritas?". Ma ciò che vedevo era vero? La mente umana che stavo usando per potermi muovere nel mondo degli umani era sotto controllo. E di chi?

Fui scosso d'improvviso da una voce, la voce di Jeshua: «Perché sono stato arrestato nel cuore della notte, come un ladro?».

«Perché la situazione era tale che altrimenti sarei dovuto intervenire io, con l'esercito, con conseguenze disastrose.»

«Perché mi hai fatto flagellare? Qual era il mio crimine?»

Pilato non poteva pensare di essere interrogato da un uomo che aveva già condannato e per il quale aveva fatto eseguire la sentenza. Eppure rispose: «Era l'unico modo per salvarti la vita e per evitare un bagno di sangue, nel caso i tuoi seguaci avessero reagito al tuo arresto».

Jeshua cambiò la sua posizione, da seduto a stante, e chiese: «Perché mi hai mandato da Erode Antipa?».

«Perché ha potere sulla Galilea, e tu sei un galileo.»

«Non ha potere su niente e su nessuno» rispose Jeshua.

«A chi dunque riconosci il potere?» domandò Pilato.

«Al Regno dei cieli» fu la risposta, la stessa che avevo già udito in quella notte tremenda.

«Il Regno dei cieli? E dov'è? In cielo fra le nubi?» Pilato non aveva per nulla voglia di scherzare: brividi come di febbre gli percorrevano la schiena, ma avrebbe fatto qualunque cosa per indurre quell'uomo a parlare come in qualunque processo.

«No» rispose la voce del Maestro di Galilea. «È un regno vero e concreto che aiuta i deboli e punisce i violenti, che non sperpera immani sostanze in vesti sontuose e in gioielli per le concubine, in residenze monumentali splendenti di oro e d'argento; e infine si occupa dei poveri, dei derelitti, degli storpi, dei ciechi, degli affamati e dei lebbrosi, un regno... compassionevole. C'è forse un crimine in questo?»

E mentre la voce ancora risuonava sotto le volte della grande sala del pretorio, la figura di Jeshua si dileguò.

«Quindi saresti stato tu il re di questo regno» disse Pilato.

«No» rispose la voce di Jeshua.

Pilato domandò ancora volgendo intorno lo sguardo, come se stesse cercando Jeshua di Nazareth: «Eppure, a chi ti chiedeva se era lecito pagare il tributo a Cesare rispondesti "Date a Cesare quel che è di Cesare e a Dio quel che è di Dio"».

«Lo dissi perché rifuggo dal sangue» replicò la Grande Voce.

Il prefetto Ponzio Pilato capì di essere rimasto solo e cercò di convincersi di aver avuto un'allucinazione, di aver visto un fantasma. Claudia era scomparsa, forse nel suo appartamento. Il Rabbi galileo si era dissolto, così come era scomparso anche l'uomo che era con lui e che lo aveva accompagnato...

Io stesso.

Pilato rimase nella grande sala del giudizio del pretorio. Lo assalì la paura.

XI

Udii una voce, non quella del Rabbi che aspettavo e speravo tornasse; non quella di Ponzio Pilato. Era sommessa come quella di chi ti vuole sussurrare all'orecchio, ma fonda, cupa e vibrante come quella di chi vuole redarguire o rimproverare.

Diceva: «Chi ha indotto la moglie del prefetto a fare pressione sul marito perché non pronunciasse la condanna del Rabbi?».

«Io» risposi. E non sapevo dov'ero e che cosa stavo dicendo.

«Tu? Dovevo averlo capito nel momento in cui ti avevo affidato questa missione, questo compito. Hai un nome, non è vero?»

Tremai e infine dissi per la prima volta da che ero in Palestina: «Aroc».

La voce all'orecchio si fece ancora più aspra: «Non capisci perché ti faccio questa domanda?».

«Ero sul Golgota dopo aver viaggiato con Jeshua da Nazareth per diversi giorni. Ero presente quando il Rabbi fu flagellato fino quasi a togliergli la pelle di dosso.»

«Compassione?» disse rauca la voce. «Non è ammessa. Ci fu chi ebbe compassione di noi quando siamo stati condannati prima dell'inizio dei tempi alla disperazione eterna?»

Seguì un lungo silenzio. Poi fui ancora io a parlare: «Nessuno ha avuto compassione. Durante il nostro viaggio in direzione del mare Adriatico gli domandai com'era possibile che mi fosse stato inflitto un castigo infinitamente più crudele delle mie possibilità di patire». Non riuscivo a comprendere ciò che stava accadendo e continuai: «Il Rabbi di Nazareth ha fatto miracoli, si è proclamato figlio di Dio e il terzo giorno dopo la sua sepoltura ha aperto l'enorme pietra molare che chiudeva il suo sepolcro, ma prima che tutto ciò accadesse io fui obbligato, forse da te che ora mi parli o da qualcun altro del nostro genere, a spingere Claudia, la moglie di Pilato, a convincere il marito a non pronunciare la sentenza di morte del Messiah. Ma non basta: tu ora mi rimproveri perché Claudia aveva quasi convinto Pilato a lasciare libero il Rabbi di Nazareth».

«E lo trovi difficile da capire?» domandò ancora la voce rauca che mi parlava da qualche tempo.

«No, non è difficile se si conoscono le scritture, e io le conosco.» La voce ruppe in una risata sonora e io ripresi a parlare: «Qualcuno mi ha inviato in questi luoghi. Ho dovuto rendermi irriconoscibile, qualcuno mi ha voluto inserire fra le autorità politiche e religiose; ho imparato a governare una nave, ho parlato a lungo con l'imperatore dei Romani e infine ho ritrovato il Rabbi di Nazareth e abbiamo intrapreso un itinerario comune. Ma prima avevo visto esplodere una bufera su un mare calmo e un cielo sereno sulla costa, di fronte all'isola di Capri dove l'imperatore vive in una villa inimmaginabile. Non riuscivo a capire da dove venisse la tempesta, poi mi sono voltato dalla parte da cui soffiava il vento e ho visto un essere gigantesco armato da testa a piedi alto almeno otto cubiti. Mi ha fissato a lungo e mi sono sentito percorso da brividi in ogni parte del mio corpo».

«E sai chi era?» domandò la voce.

«Era Raphael: uno dei triarchi dell'armata della luce, come la chiamano loro: uno dei tre in tutto l'universo, tranne l'Altissimo, come lo chiamano loro, capace di annientare un essere vivente semplicemente con un atto di volontà, riportandolo al nulla da dove è venuto, e questo mi ha riempito di terrore.»

«Non vedo perché» replicò la voce.

«Perché» risposi «stanno accadendo eventi di enorme portata e il fatto che un triarca come Raphael si mostri armato dalla testa ai piedi scatenando un uragano a poca distanza dalla residenza dell'imperatore dei Romani mi sembra un fatto eccezionale. E io, umilmente, vorrei sapere da chi ne sa più di me che cosa sta succedendo.»

«Il corpo umano che hai indossato quando sei giunto da queste parti ha capacità di creare allucinazioni. Hai visto quello che non c'era» disse la voce.

«So distinguere un'immagine da una persona. Raphael mi si è manifestato in tutta la sua potenza. E non ho finito: nel mio viaggio attraverso la penisola italica ho raggiunto il piccolo santuario di Summano, il dio delle cime come dice il suo nome. Ho lasciato una piccola offerta e ho preso la discesa per raggiungere il viandante che avanzava tutto solo per giungere alla sponda dell'Adriatico. Abbiamo insieme sistemato la nave per arrivare in Grecia, dalle parti di Efira, dove c'è l'oracolo dei morti. Lui doveva, come tutti gli eroi, perché lui è un eroe, affrontare l'impresa più grande della sua vita: la catabasi, ossia la discesa agli Inferi. E mentre avanzava nel buio e nella nebbia dell'aldilà diceva: "Seguimi, conosco già la strada". Mi vennero i brividi sia perché avevo, come ho ancora, un corpo da essere umano, sia perché la frase del Rabbi di Nazareth mi aveva profondamente impressionato. Ma tu, voce dal profondo, sapresti dirmi che cosa ci aspetta?»

«Forse» fu la risposta. «Ma per questo dovrai seguirmi, non per le vie dell'aldilà ma per le strade di Gerusalemme.»

XII

Gerusalemme, oggi

Non volevo parlare con una voce senza nome e senza corpo. Avrei preferito continuare a parlare con Ponzio Pilato o con Claudia sua moglie, dimenticando che dovevo ottemperare all'incarico che avevo ricevuto.

La voce profonda che mi aveva accompagnato fra le aspre pareti del pretorio si dileguò fra le innumerevoli grida dei venditori di frutta secca, di uova, di pollame da cucinare per pranzo. Poco dopo mi sentii chiamare per nome, Aroc, e mi volsi verso il punto da cui proveniva la voce. Mi trovai di fronte a un uomo vestito con abiti eleganti.

«Ora puoi anche chiamarmi per nome» disse la voce che mi aveva parlato nel pretorio e che ora aveva un corpo, e stava per avere un nome.

«Quale nome?»

«Belial.»

«Ho perso il Rabbi Jeshua, Belial.»

«Trovalo. Se hai attraversato la penisola con lui e poi l'hai seguito sul mare e ancora oltre l'Acheronte ci sarà un motivo.»

Dette queste parole sparì tra la folla. Ma io non riuscivo a riconoscere nessuno; a mano a mano che mi facevo largo fra la gente mi sentivo a ogni passo più vuoto e perduto. I luoghi che avevo percorso e osservato erano quasi del tutto irriconoscibili. Cercavo invano i monumenti funebri dei Maccabei per capire dove mi trovavo e per orientarmi, ma il pinnacolo del Tempio su cui l'avevo deposto per tentarlo a gettarsi giù perché gli angeli l'avrebbero sostenuto non esiste più da oltre diciannove secoli.

I suoni e i rumori erano diversi, alcuni acuti e sgraziati, altri indefinibili. Anche il tempo in cui mi trovavo mi sembrava che stesse cambiando, ma chi poteva cambiare il tempo? Belial? No, non era tanto potente. Jeshua risorto dai morti? Lui sì! Lui può tutto! Ma dov'è?

Lo vidi, alla fine, davanti a una strana costruzione in mezzo a una lunga fila di persone che aspettavano. Oltre l'edificio c'erano uomini vestiti in una foggia bizzarra, con un cinturone da cui pendevano armi, armi da fuoco.

Oltre c'era una grande piazza, e in fondo una enorme muraglia. Una guida spiegava che si trattava dell'ultimo bastione che reggeva la spianata del Tempio. Molti ancora entravano nella piazza, benché le guardie controllassero che venisse rispettato il numero degli ammessi.

Era una grande celebrazione, quella di Hanukkah, che ricordava la riconsacrazione del Tempio ebraico dopo che era stato profanato per due secoli dalla occupazione dei Seleucidi di cultura e religione greca, cioè pagana.

A quanto si vedeva e si udiva c'era forte tensione in quell'enorme ammasso di gente. Vidi di nuovo il Rabbi di Nazareth, vestito in modo abbastanza simile a tutte le persone che affollavano la piazza, ma diverso da coloro che pregavano e baciavano il muro, vestiti di nero, con un prezioso cappello. Saltò sul tetto e toccò la terrazza con straordinaria leggerezza, come quando si era posato sulla tolda della nave dove c'erano i bambini prigionieri dei pirati.

Come mi avrebbe accolto? Mi avrebbe riconosciuto? Mi avrebbe annientato? Sarebbe stato naturale e ne sarebbe valsa la pena: meglio il nulla che la consapevole, angosciosa pena eterna. Sarebbe stato naturale, sì, ma perché allora aveva trascorso tanto tempo con me?

Saltai a mia volta sul tetto della basilica, e il Rabbi sembrò appena accorgersi della mia presenza e mi concesse uno sguardo appena decifrabile: non mi sembrò ostile, ma forse ero ottimista. Passò qualche momento, poi il suo sguardo fu attratto da un piccolo gruppo di adolescenti, figli di una famiglia araba di cittadinanza israeliana: si capiva dall'abbigliamento e dalla kefiah sul capo. Il gruppo dei ragazzi si muoveva quasi impercettibilmente in direzione del muro strisciando con i piedi, più che camminando. Uno di loro, quello avanti a tutti, doveva essere il capo e spesso si volgeva e scambiava occhiate con gli altri.

A un tratto percepii che il ragazzo stava per scattare in direzione degli ebrei ammassati verso il muro del tempio, e sentii la voce di Jeshua dire, allarmata: «Si fa saltare!». In un attimo Jeshua fu a terra, fra i piedi del ragazzo che intanto stava infilando la mano sinistra sotto il giubbetto. Lo abbracciò strettissimo, attirandolo a sé, e soffocò l'esplosione. Nessuno dei due si ferì, nessuno riconobbe Jeshua, nessuna fotografia risultò leggibile, la cerimonia ebbe luogo comunque. Nessuno poté spiegare ciò che era accaduto, tuttavia un ragazzo arabo ebbe salva la vita, e un grande numero di altre persone evitò la morte.

Jeshua riprese il suo cammino attraversando le rovine del tempio e io gli andai dietro.

«Questa volta» dissi, «sei arrivato in tempo, ma quante volte la morte sarà più veloce? È dunque il caso a decidere chi deve vivere e chi deve morire?»

Il Rabbi Jeshua di Nazareth non rispose alla mia domanda e non me ne meravigliai: come potevo pensare che lo facesse, uno come lui, che fu seguito da moltitudini immense per udirne le parole, che resuscitò un morto e poi resuscitò se stesso; che restituì la vista ai ciechi, la salute ai lebbrosi, fece camminare i paralitici, come avrebbe potuto conversare con me? Sul Golgota mi chiamò "bestia e schiavo": fu la prima volta che mi vide e che mi rivolse la parola.

Mi volse le spalle e mentre ancora la grande piazza ribolliva di persone, scomparve tra la folla. Lo persi di vista e non lo incontrai più per molto tempo. Non avrei avuto da riferire a Belial niente di più di quanto già sapesse.

Il ragazzo scampato alla morte incrociò lo sguardo con il mio. Mi aveva visto quando gli ero passato vicino un attimo prima dell'esplosione che il Rabbi aveva soffocato contro il suo petto.

«Perché lo hai fatto?» gli domandai.

«Volevo dare la vita per il mio popolo oppresso e umiliato.»

«E uccidere chissà quanti ragazzi come te. Si dà la vita per amore, non per odio.»

«Parli come un cristiano.»

«Può darsi. Io l'ho incontrato, Jeshua di Nazareth. Ho assistito alla sua crocefissione.»

«Dai i numeri? E quando mai? Sono le quattro e sei già ubriaco? Se non sbaglio il tuo Jeshua è morto circa diciannove secoli fa.»

«Non ti sbagli» risposi.

«Allora sei proprio fuori di testa» disse il ragazzo. «Addio.»

Ero sicuro che alla prossima occasione ci avrebbe riprovato.

XIII

Gerusalemme, 33 d.C.

Non so perché ma mi mancava il Rabbi di Nazareth. Avrei voluto fargli tante domande, soprattutto sulla nostra origine, ma non era quella la ragione per cui mi trovavo in quei luoghi.

Inoltre, se avesse voluto veramente parlare a lungo con me, ne aveva avute tante occasioni, mentre io non avevo avuto la possibilità di vivere quella che gli umani chiamano amicizia. A noi è stata riservata solo una solitudine gelida ed eterna per una causa che nessuno conosce e probabilmente mai conoscerà.

Io stesso, in vesti umane, avevo frequentato le loro biblioteche e le loro scritture: non avevo trovato altro che una ribellione contro l'Altissimo, come lo chiamano loro; ma perché? Nessuno si ribella se non è stato schiavizzato, oppresso, vessato. E perché nei nostri ricordi, nella nostra memoria ancestrale, non c'era traccia di quella rivolta? Perché nessuno aveva tramandato quei ricordi? A volte pensavo che se fossimo stati provvisti anche di memoria, forse saremmo stati quasi perfetti.

I discepoli del Rabbi nazareno, detti anche i dodici o gli undici, a seconda di come erano conteggiati, erano ancora a Gerusalemme, nello stesso luogo in cui avevano consumato l'ultima cena insieme, prima che Jeshua fosse arrestato nel bosco degli ulivi, il Getsemani.

Più volte mi aggirai in quei paraggi. Volevo vedere, non visto, chi stava da quelle parti. Ma soprattutto dovevo sapere chi era presente con il Maestro quella sera. Al momento del suo arresto i discepoli erano fuggiti, eppure al tramonto, prima della cena, erano tutti insieme a contemplare il fulgore dorato dell'immenso Tempio.

Anche Jeshua guardava con le lacrime agli occhi la grandiosa mole dell'unica dimora di Dio sulla terra. Fra poche ore sarebbe stato arrestato, trascinato davanti a tutti i tribunali della Città Santa, condannato, torturato, crocefisso e sepolto. La mia natura mi spingeva a sfidarlo, tentarlo, e in quel momento lo feci. Compii un'azione che anche per me e per quello che sono fu terribile.

Fu là, su quel monte, che lo conobbi, e da allora non volli più perderlo. Ma l'avevo perso da quando era sparito nella folla che aveva gremito la grande piazza davanti al Muro del pianto.

Come avrei potuto trovarlo ancora?

Mi appostai vicino alla casa della ultima cena sua e dei suoi amici e discepoli e lì, una sera, lo vidi: eravamo tornati alla Gerusalemme che aveva visto il suo martirio.

La porta si aprì e lui entrò. Non so se vi trovò i suoi compagni e forse sua madre. Quando uscì era notte fonda e si incamminò verso la valle del Cedron e poi verso la cima di Getsemani. Di quella visita, se di visita si trattò, nessuno avrebbe mai saputo. Io lo precedetti e mi nascosi dietro il frantoio che dava il nome al podere. Lui aveva molte volte pregato in quel luogo. Distese in terra il mantello che forse la madre gli aveva tessuto. Il primo lo avevano giocato con i dadi i legionari romani sotto la sua croce.

Ebbi l'impressione che piangesse.

Lasciai che passasse ancora del tempo aspettando che tutto tacesse: i richiami delle sentinelle dagli spalti della Fortezza Antonia, il verso dell'assiolo da un sepolcro diroccato. Solo la mia voce risuonò quando tutto fu silenzio: «Torniamo a Gerusalemme! Abbiamo ancora tempo».

Il Maestro, che sembrava assopito, alzò il capo e si appoggiò sul mantello con un gomito.

«Di nuovo con me? Come puoi, e perché?»

«Io non posso niente. Tu puoi tutto, Maestro. La mia voce non vale nulla, ma ascoltala ugualmente perché contiene sofferenze immani, le urla e il pianto di infiniti millenni.»

«Parla, allora. Aroc.»

«Il mondo non può perdere Gerusalemme.»

«Troppo tardi.»

«No, ascolta. Torniamo qui, dove siamo.»

«Non importa il dove. Importa il quando.»

Avevo un piatto con pane e sale: «Qualcuno ti ha dato da mangiare?».

«Non c'era nessuno. I miei amici sono partiti.»

«Di certo in Galilea.»

«Così penso.»

Gli porsi il pane e il sale. E anche una crosta di formaggio che tolsi dalla mia bisaccia. Jeshua allungò la mano verso il cibo.

«Adesso che i tuoi se ne sono andati, non hai più bisogno di dimostrare che sei un uomo in carne e ossa, che mangia e che beve... Andiamo avanti, ti prego.»

«Ho già sofferto abbastanza. Non voglio vedere ancora quell'abominio. Ho fatto di tutto per Gerusalemme e nessuno mi ha ascoltato.»

«Vederlo ancora è uno strazio, lo so. Non vorrei farlo.»

«Anche tu hai fatto la tua parte» disse. «Non dimentico chi sei e cosa sei.» E si sdraiò nuovamente sul mantello. Anche io mi coricai su un mucchio di fieno poco lontano. Lo stesso dove si era coricato, la notte dell'arresto di Jeshua, un giovinetto che si era avvolto in un lenzuolo. Spaventato dal frastuono dei soldati e della zuffa di uno di loro con Kefa, il ragazzo aveva lasciato il lenzuolo ed era scappato via, nudo come si era coricato.

Mi addormentai quasi subito perché ero stanco. Parlare con lui era spossante, sia pure per breve tempo. E ancora peggiori e insopportabili erano le sue parole quando mi aggrediva.

L'alba svegliò prima lui. Lo vidi passeggiare lungo il fianco del Getsemani. Per tutta la notte avevo sognato o forse ragionato e non ero giunto a una conclusione. Mi avvicinai al Maestro e gli offrii un bicchiere di acqua fresca che avevo attinto da una fontanella. Bevve come se fosse molto assetato.

«Maestro...»

«Il tuo Maestro è altro» mi disse duro. Pensai che temesse di provare qualcosa per me.

«Tu ami questa città» dissi, e stesi il braccio a indicare le guglie delle tombe dei re asmonei. «E ami questo Tempio, l'unica residenza del Padre tuo su questa terra. Come puoi permettere che di essa non resti pietra su pietra nei secoli a venire?»

«Vuoi tentarmi ancora come sul Golgota? O come uno del tuo genere – forse lo stesso Satana? – aveva tentato prima ancora nel deserto? Qualcuno sarebbe soddisfatto del tuo operato e tu diventeresti importante al suo cospetto.»

«No. Vorrei solo che tu usassi la tua potenza per salvare questa città, questo Tempio e tutto ciò che ami.»

«Menti, ipocrita come sei. Non credo che tu dica la verità.»

Gli porsi un altro bicchiere d'acqua di fonte. Il Maestro lo accettò di nuovo, poi mi chiese: «Dimmi perché vuoi andare a Gerusalemme fra trentasette anni».

«Perché devi vedere quello che accadrà prima dell'arrivo delle legioni.»

«Forse non ho assistito a quegli eventi, ma è come se li avessi visti. Pensi di sapere più di quanto io non sappia?»

«Come uomo o come figlio di Dio?» gli domandai.

«C'è differenza?»

«Non voglio tentarti: sarebbe assurdo. Ma ti prego, andiamo. Hai ancora tempo. Ti prego.» Lo supplicai in ginocchio. Forse lo sorprese che uno del mio genere giungesse a tanto.

XIV

Monte Garizim, 36 d.C.

Sentii la vibrazione del suo atto di volontà e ci trovammo in Samaria nei pressi del monte Garizim, monte sacro per tutti i Samaritani. «È qui che si è consumato un massacro spaventoso dopo la tua morte sul Golgota e dopo il tuo ritorno.» Jeshua non parlò e cominciammo a salire.

«Uno dei più eminenti fra i capi samaritani, l'ennesimo a proclamarsi il Messiah, aveva fatto diffondere la storia che aveva trovato dei vasi preziosissimi che Mosè aveva sepolto sul culmine della montagna dove sarebbe apparso alla folla.»

Il sole era alto nel cielo e arroventava le pietre mentre io continuavo a raccontare la storia del tesoro del Garizim, evidentemente falsa. Mosè non aveva mai varcato il Giordano: come sarebbe mai potuto arrivare sul Garizim?

Tuttavia l'uomo che aveva chiamato migliaia di persone sulla montagna per il grande evento avrebbe conquistato un enorme carisma; forse talmente grande da far temere che qualcuno volesse veramente proclamarlo Messiah. Ai Romani non importava che proclamare Messiah un samaritano fosse una vera e propria bestemmia: non consideravano di certo la bestemmia un reato.

«Infatti» continuai, «c'era già chi aveva pensato a risolvere il problema: Ponzio Pilato. Quando la folla arrivò sul monte trovò i suoi squadroni di cavalleria e diverse coorti di fanteria pesante. Non fu risparmiato nessuno: né uomini né donne né bambini. Una carneficina.»

«Hai già terminato la tua storia?»

«Sì. Ho terminato» risposi, «ma ho una cosa da chiederti. Perciò ti ho portato su questa montagna.»

«Parla.»

«Forse vorrai annientarmi.»

«Parla egualmente.»

«Hai immolato te stesso su quel monte a Gerusalemme per redimere tutti gli uomini dai loro peccati...»

Non volli dire altro. Sapevo che stavo osando troppo.

Eravamo sul culmine della montagna e lui mi aveva intimato di parlare. Tutto attorno a noi si vedevano i resti del massacro: ossa spezzate, mandibole e crani scagliati lontano dai loro corpi. «Con il tuo sacrificio... chi hai redento? Nemmeno gli innocenti sono stati risparmiati. Appena tre anni dopo la tua morte sulla croce. Cosa avevano fatto per meritare l'orrore?»

Sentii la vibrazione di un potente atto di volontà e tremai. Era venuto il mio momento? No, non poteva essere. Il Rabbi non avrebbe mai voluto annientarmi solo perché non capivo il suo modo di agire.

La vibrazione si spense e si placò il mio terrore. Mi passai la mano sulla cintura e sui fianchi. Quello che di me era umano era sopravvissuto.

Jeshua parlò: «Esiste un mistero che né tu né io possiamo sciogliere. Domandai sanguinando al Padre mio di allontanare da me il calice colmo di dolore che avevo davanti; sentii che non era possibile e mi arresi alla sua volontà. Capii che il male era quello di sempre: l'avidità, l'ambizione, la sete di potere».

Colui che aveva convocato migliaia di persone sulla vetta del monte Garizim voleva essere acclamato come Messiah. Era già accaduto tante volte da quando i Romani avevano occupato la Terra promessa. Molti che non riuscivano a pagare le tasse ai nuovi dominatori diventavano poveri e pregavano l'Altissimo che li liberasse. Uno dopo l'altro si distinguevano fra il popolo in miseria dei predicatori che odiavano Erode come servo dei Romani e volevano loro stessi diventare re e Messiah.

«Fammi vedere un capo di grande carisma e di nome Ezechia» chiesi. «Ti prego, fammi vedere. Ora.»

XV

L'atto di volontà si fece sentire forte. Forse per la lontananza di spazio e di tempo. Ma certo non raggiungeva quello di Raphael che aveva scatenato una bufera sul mare con tuoni, folgori ed enormi, spumeggianti marosi.

Fummo circondati per un'ora dal silenzio di quella distesa di ossa che portavano i segni dei denti e delle zanne degli animali... cani, sciacalli, volpi.

Pensai a ciò che era accaduto dopo la morte di Erode, l'uomo che aveva ricostruito il Tempio: migliaia di uomini si erano ritrovati da un giorno all'altro senza lavoro, e quando avevano dato fondo alle proprie riserve erano tornati alle loro case o alle bande di briganti che correvano le terre dei grandi proprietari e degli esattori di imposte.

Il Rabbi e io ci trovammo in un istante su una collina che andava riempiendosi di uomini armati che parlavano ad alta voce. In mezzo alla folla si era aperto un sentiero libero. Tutta quella gente stava evidentemente aspettando un grande personaggio. Sentii, prima confuso e poi più netto, il nome di Ezechia. L'uomo che portava quel nome alzava la mano destra per salutare coloro che lo acclamavano. Ezechia avanzava a cavallo, coperto da un'armatura che non poteva essere identificata come greca o romana, ma che ne richiamava in qualche modo lo splendore. Appariva come un monarca. Dalle fibule che portava sulle spalliere pendeva un mantello color amaranto e ai piedi calzava dei robusti sandali adatti per sollecitare i fianchi del suo stallone al passo di carica.

Ezechia percorse tutto il sentiero fino a raggiungere la sommità della collina, poi fece voltare il cavallo verso la folla. Era pronto per rivolgersi alla moltitudine dei presenti: cinque, forse ottomila persone, sufficienti, se armate adeguatamente, a formare un esercito. Ezechia cominciò a parlare.

«Figli d'Israele!» tuonò. «Ascoltatemi!» E subito si fece silenzio.

Ambedue, il Rabbi e io, sapevamo di essere in Galilea, distanti forse sette leghe da Nazareth, e i nostri sguardi si posavano su quelle migliaia di contadini diseredati che avevano perso tutto e ora riponevano le loro speranze in uomini come Ezechia, combattenti che non sopportavano il giogo dei Romani.

«È giunto il tempo per noi» gridò ancora Ezechia «di liberare la terra che ci fu data dal nostro Signore, il tempo di cacciare i nostri oppressori che sono idolatri e impuri, che dividono i proventi delle imposte con gli appaltatori che hanno venduto il loro onore e tradito il loro popolo. Non abbiate paura! Il giovane Davide uccise con un colpo di fionda il gigante filisteo Golia coperto di bronzo, apparentemente invincibile.»

La folla esplose in un urlo di entusiasmo. Tutti acclamarono l'uomo splendente sul suo cavallo che in quel momento levava verso il cielo la lama lampeggiante della sua spada.

«Così fecero anche i figli di Mattatia, i fratelli Maccabei i cui discendenti hanno perso il valore di un tempo, ma noi faremo risorgere Israele! E restituiremo alla nostra nazione la gloria e la potenza di un tempo!» Il popolo lo acclamò ancora, alzando le spade al cielo come aveva fatto il suo capo.

«Guarda» dissi al Maestro. «Il popolo sembra impazzito.»

In quel momento un personaggio coperto di panni sontuosi si avvicinò a Ezechia, salendo su un picco alto forse trenta piedi; fece un cenno a Ezechia, e quello gli si avvicinò, prima porgendo la schiena per ricevere un mantello di porpora sulle spalle, e poi il capo: il personaggio versò l'olio della consacrazione e sulla chioma ora lucente depose una corona. Ezechia si presentava adesso come un re, e il personaggio che l'aveva ammantato e incoronato gridò con voce stentorea: «Ecco l'unto del Signore, ecco il vostro re, ecco il Messiah!».

L'aria vibrò per le migliaia di voci che salivano dalla moltitudine, e la parola "Messiah" risuonò come un'eco potente che le montagne restituivano dalle loro pareti rocciose. Quella parola spezzata in tre sillabe percorreva le squadre, che i capi fecero schierare in sette linee alla base della collina. Ezechia era a quel punto re, non solo della Galilea ma anche della Giudea, della Iturea, della Gaulanitide e della Idumea. E poiché tutte quelle regioni erano state conquistate da Roma, Ezechia avrebbe dovuto sconfiggere la potenza che occupava la Palestina. Jeshua osservava quello spettacolo, che lui stesso aveva evocato.

«Rabbi» dissi allora, «qualcuno deve far capire al re appena consacrato che cos'è l'impero romano e chi è Erode. Deve spiegargli che il suo esercito è cinquanta volte più piccolo di quello di Roma, che il mare è tutto di Roma ed è controllato da undici flotte con più di diecimila fra soldati, equipaggi e tecnici. Bisogna fargli capire che quando i Celti vollero resistere all'armata di Roma persero fra guerrieri, artigiani, agricoltori, operai, donne, vecchi e giovani adolescenti, un milione di uomini. I Romani inoltre sostengono Erode, che è amico di Augusto, l'uomo che ha posto fine alle guerre civili, ed è diventato l'imperatore dei Romani.»

«Tu pensi che si possa spiegare e far capire a questa gente che non può in alcun modo battere Roma, e cambiare così il suo futuro? È questo che vuoi fare o che vuoi che io faccia?»

«Penso che battere Roma sia impossibile» risposi, «e penso anche che sostenere Ezechia sia un'impresa folle. C'è già un re in questa terra, si chiama Erode, si è fatto amico l'imperatore dei Romani, che lo sostiene e gli dà qualunque cosa chieda. Non ci può essere un altro re e men che meno un Messiah. In questa situazione chiunque sia proclamato Messiah, o si proclami o sia proclamato re, è un uomo morto.»

Cadde un silenzio abissale fra Jeshua e me. Io avevo assistito allo strazio del Rabbi di Galilea sul monte Golgota, e ora tentavo di spingerlo ad assistere alla devastazione di Gerusalemme e del Tempio, in un tempo che per noi era futuro. Affinché cambiasse, da quel futuro, il nostro presente.

XVI

Ci allontanammo dal punto in cui, in sella a un cavallo, Ezechia era stato incoronato, e aveva avuto coperte le spalle da un manto regale.

«Quell'uomo» dissi «ha i giorni contati, ma molti altri che forse non lo meritano lo seguiranno, o forse verranno dietro di me quando sarà il mio tempo, cosa che mi arreca grande dolore, come se non ne avessi patito a sufficienza.» Jeshua, che era fermo al mio fianco in silenzio, penetrò con il suo sguardo nel mio, come se avessi bestemmiato.

«Pensi che dovrei impedire a quell'uomo» disse fissando la figura di Ezechia «di precipitare nel baratro aperto sotto quei quattro zoccoli, o di allungare i suoi giorni piegando la storia come sarebbe giusto che fosse? È così? Non hai tu detto che il mio sacrificio non ha cambiato nulla? Che le ossa di uomini, donne e bambini sul Garizim le brucia il sole inutilmente? Che il pianto di mia Madre è stato bevuto dalle rocce roventi e perduto per nulla?»

Avrei voluto, se mi fosse stato concesso, cadere in ginocchio davanti a lui. Dissi: «No Signore, no! Quando ti chiamai sul Golgota volevo svegliare dal tuo petto la forza di dodici legioni, ma il destino non volle, e forse anche ora ferma la potenza del tuo braccio».

«Tu pensi?» rispose. «Allora seguimi, se ne sei capace. E anche se ciò che dici è vero, Belial ti avrebbe annientato.»

Sentii il vibrare dei pugni stretti attorno all'impugnatura delle spade di ottomila guerrieri di Israele, immobili nella polvere della steppa, e l'immensa intensità di un atto di volontà che si manifestava fra il cielo e la terra. Le squadre dei fanti e dei cavalieri sparirono e il cavallo di Ezechia nitrì impennandosi, e subito dopo volò al galoppo sul suolo ardente.

Passò in un istante il tempo di un anno e sembrò che il mondo attorno a me sparisse, dissolto. Jeshua e io ci ritrovammo su una grande spianata, davanti a un palazzo, dove quattro squadre di guardie reali e due manipoli di legionari romani circuivano una sorta di podio sopraelevato, su cui un gruppo di artigiani preparava una croce. Il palazzo di Erode e il podio per le esecuzioni capitali!

Da un lato si vedeva, incisa su una tavola, una scritta: EZECHIAS GALILEUS REX IUDAEORUM

Brividi percorsero le membra del corpo umano che rivestivo, quasi non mi reggevo in piedi quando di nuovo la potenza dell'atto poderoso di volontà di Jeshua esplose e tuonò d'improvviso. Mi parve di essere sul Golgota. La croce si spezzò in centinaia di frammenti e gli occhi del Maestro fiammeggiarono.

Due guardie portarono Ezechia tenendolo per le braccia; altre due portarono un ceppo che appoggiarono sul podio: il giustiziere arrivò per compiere il suo dovere.

«Hanno cambiato il patibolo» dissi. «Perché?»

«Perché così ho voluto» rispose il Maestro.

Ero confuso, non capivo cosa stesse accadendo.

«Hanno cambiato anche il giustiziere» disse il Maestro. E io guardai. Non esisteva più la croce e il giustiziere era un gigante di straordinaria possanza. Indossava un'armatura di foggia greca e brandiva una spada di splendido acciaio; avanzava sul podio a lunghi passi pesanti. Mi parve di riconoscerlo: lo stesso che avevo visto sulla costa che fronteggiava l'isola di Capri. Raphael, il triarca! Non ebbi tempo per meditare né per comprendere.

Un secco colpo di spada e la testa di Ezechia rotolò sul podio. Il giustiziere scomparve.

Io volevo che il Maestro, nei giorni che ci restavano, mi parlasse e a sua volta vedesse ciò che avrebbe dato o tolto senso al suo sacrificio: l'avvento del regno dell'Altissimo sulla terra. «È questo che vuoi? Non hai paura di chi ti ha mandato?» domandò il Maestro.

Risposi: «Chi ha sofferto dolori di una intensità così tremenda fin dall'inizio dei tempi, per mano della più vasta delle menti, non conosce più alcuna pena. Ma il viaggio dovrebbe proseguire, finché abbiamo ancora tempo».

Il Maestro annuì e io percepii la vibrazione di un atto di volontà che forse faceva seguito alle mie parole.

Ezechia, il carismatico comandante dei combattenti che depredavano i grandi possidenti per sostenere i poveri, era morto... Anche Barabba era uno di loro. «E tu lo conosci bene» dissi rivolto a Jeshua, «e di lui anche io so cose che forse nemmeno tu conosci. Ricordo che è stato Giovanni a chiamarlo nel gruppo dei tuoi amici e dei tuoi discepoli: ἀνὴρ ἐπίσημος, lo definì, un uomo illustre, famoso. Forse era così che chiamavano quelli come lui.»

«Ora basta. Lascia che andiamo a vedere quale fu l'epilogo di quanto abbiamo visto.»

«Ezechia aveva un figlio...» cominciai.

«Giuda di Galilea...» concluse Jeshua.

«Dobbiamo raggiungerlo, per questo siamo qui» dissi. «Udremo le sue parole e le confronteremo con quelle che tu, Maestro di ogni sapienza, avresti pronunciato. Non abbiamo bisogno di cavalli. Sento il tuo atto di volontà nella tua mente e nella mia, ammesso che io possa dire di avere una mente: ecco, siamo giunti. Eri poco più che un infante quando Sulpicio Quirinio, proconsole di Siria, proclamò un censimento in Giudea di cui possiamo ora vedere le conseguenze.»

Le avevamo davanti agli occhi le conseguenze. Tutti coloro che accettavano il censimento e quindi di pagare le imposte ai Romani erano considerati dei traditori e dei rinnegati che meritavano la morte.

«Giuda il Galileo, assieme al fariseo Saddok, alla testa di migliaia di briganti, devastò e saccheggiò gli averi dei ricchi e dei collaborazionisti con i Romani. Trucidarono tutti i personaggi più in vista e Giuda ogni giorno si atteggiava con vesti e attributi regali e, imitando suo padre, anche messianici.»

Jeshua aggrottò le sopracciglia, e potevo capire. Ero presente tra la folla osannante che gridava «Salve, figlio di Davide!» quando salì al Tempio, in groppa a un asino.

In tutto il paese Giuda il Galileo aveva diffuso l'aspettativa apocalittica di un imminente avvento della liberazione di Israele dal giogo di Roma, ma gli abitanti filoromani non avevano subito che le angherie e i massacri dei briganti di Giuda.

Con un audace colpo di mano gli uomini di Giuda conquistarono Sefforis, la più bella città di Galilea, e si impadronirono di tutte le armi che vi avevano trovato. Giuda a quel punto si proclamò re d'Israele e Messiah.

Era troppo. I Romani rasero al suolo Sefforis.

«Eri forse un bambino, Maestro, quando questo accadde...»

XVII

Sefforis, 6 d.C.

«Giuda il Galileo, che si era detto re e Messiah, guardalo ora: è vicino alle rovine del teatro.»

Lo vedemmo: nudo, inchiodato polsi e piedi ai legni con i segni di una lunga tortura.

Dissi ancora: «Forse accompagnasti più volte tuo padre Giuseppe, che di certo lavorava a costruire questa città ora annerita dagli incendi, incenerita!».

Jeshua piangeva calde lacrime. Forse vedeva se stesso inchiodato sulla croce del Golgota. Ma eravamo arrivati fin là in un lampo. L'avevo convinto a venire con me perché nemmeno lui, risorto dai morti, era riuscito a persuadere Pilato che era possibile una vita senza violenza.

Gli rammentai il breve dialogo con un fariseo che gli aveva mostrato una moneta, da tempo pietra dello scandalo per gli infiammati discorsi di Giuda di Galilea: «È lecito pagare il tributo a Cesare?» aveva chiesto il fariseo.

«Di chi sono l'iscrizione e l'effigie?» aveva domandato lui a sua volta.

«Di Cesare.»

«Allora rendete a Cesare quel che è di Cesare e a Dio quel che è di Dio.»

«Quello che dicesti era uno scandalo e lo è anche ora» dissi al Maestro. «E Giuda di Galilea pende da quella croce per essersi battuto per liberare Israele da un dominio idolatra e impuro secondo la vostra legge. Perché hai detto quelle parole? Guarda ancora, Maestro!»

Ora passava davanti a noi una fila di soldati romani che accompagnava al patibolo due ragazzi.

«Tu sai chi sono quei ragazzi» dissi.

Il Maestro esitò.

Parlai io: «Sono i figli di Giuda di Galilea: Simone e Giacomo. Fra i tuoi discepoli ne hai due con gli stessi nomi».

Il comandante delle legioni di stanza in Siria era un alto ufficiale di nome Tiberio Alessandro. Chiamò un centurione dalla Fulminata di nome Sesto Rufo e gli diede ordine di comandare il picchetto dell'esecuzione dei ragazzi.

Sulla croce.

Anche Rufo aveva due ragazzi della stessa età che due anni dopo avrebbero prestato servizio nei corpi celeri a cavallo contro i briganti. Dovette fare appello a tutte le sue forze per eseguire l'ordine e controllare i battiti del suo vecchio cuore di veterano, che sembrava essere sul punto di cedere a ogni momento, a ogni colpo del martello sui chiodi che dovevano penetrare nei piedi e nei polsi dei due ragazzi. Era una fredda mattina di febbraio e le urla di dolore dei ragazzi crocefissi echeggiarono fra i monumenti diroccati e le mura annerite di Sefforis.

Il Maestro chinò il capo e disse: «La mia meditazione nel Getsemani, che mi ha fatto sudare sangue, è ben poco rispetto a ciò che mi fai vedere. L'unico sollievo per me è che tutto questo è già accaduto».

«Accaduto ma non ancora finito, Rabbi. È giusto, io penso, che tu veda anche l'epilogo della tragedia a cui stai assistendo. Guarda.»

L'ambiente cambiò forse per la mia volontà, forse per la sua, e assistemmo a qualcosa che mise a durissima prova il corpo che indossavo.

Ci portammo sulla parte opposta delle mura di Sefforis e guardammo in basso, il piano che si estendeva a oriente dell'altura su cui era stata costruita la città, poi devastata. Da quel poggio vedemmo spuntare da meridione la testa di una lunghissima colonna: erano centinaia e centinaia; alla fine mille, o duemila prigionieri che si trascinavano, penosamente affiancati da due colonne di legionari che li frustavano per accelerarne la marcia.

In fondo c'erano dei carri che portavano tronchi squadrati, alcuni lunghi, altri meno, e centinaia di casse con attrezzi. Con il passare del tempo e il levarsi di croci dal suolo l'orrenda verità prendeva forma. Duemila prigionieri, i briganti di Giuda di Galilea, finto re e finto Messiah, andavano al supplizio.

Non so quanto tempo passò, ma prima nella luce del giorno, poi nelle tenebre della notte appena rotte dalle luci di torce e di lanterne, e ancora nella luce dell'alba si videro comporre i tristi patiboli. Poi echeggiarono, riflessi dalle rocce circostanti, i colpi di infiniti martelli che straziavano le carni e frangevano le ossa dei condannati. Infine una foresta di croci si alzò nella luce livida del piano a proiettare le sue ombre sulla terra grigia, lorda di sangue.

Le prime urla laceranti si erano udite nel pallore del mattino, poi a quelle se ne erano aggiunte altre e altre ancora, e ancora, finché si formò l'eco di un solo coro di mille e mille tormenti, e infine di un solo pianto desolato. Il pianto dell'umanità intera.

XVIII

Gerusalemme, 46 d.C.

Jeshua sembrava insensibile alla vista di tanta crudeltà e di tanto pianto, e pensai che essendo passato dagli stessi tormenti e poi dalla reviviscenza radiosa di un mattino di primavera, nulla avrebbe potuto scalfirlo. In qualche modo era diventato simile a me.

«Abbiamo conosciuto sei Messiah» dissi. «Cinque sono morti, decapitati o crocefissi. L'ultimo sei tu, Signore.»

«Non ho mai detto di essere il Messiah» rispose Jeshua, «né ho voluto esserlo.»

«Il mio regno non è di questo mondo» hai detto a Pilato. «Ma quante migliaia di tuoi compatrioti sono stati inseguiti, torturati, flagellati, crocefissi! Abbiamo visto una foresta di croci nel pianoro di Sefforis, e altre ne cresceranno. Eppure quando hai contemplato il monte Moriah e il tempio al tramonto, hai pianto. Ma non ti ho visto più piangere dopo che sei stato glorificato. È così l'espressione dell'Altissimo e quella degli angeli? Ho visto il triarca Raphael ancora sguainare la spada. Che cosa significa? Pilato è spietato e farà crocefiggere altre migliaia di uomini senza battere ciglio. Questa è la tua Patria, e quella dei tuoi genitori e tu hai poteri immensi. Tu puoi scatenare dodici legioni di angeli invincibili contro quelle di Pilato.»

«Il mio potere mi viene dall'alto e potrei usarlo solo se l'Altissimo mi ispirasse ad agire...»

«Solo se ti ispirasse... In questo tempo, in cui siamo ora,

anni dopo la tua glorificazione, un altro folle di nome Teuda si è proclamato Messiah e ha proclamato ancora la liberazione di Israele e l'avvento del regno di Dio nella vostra Terra, e sembra che tu nemmeno te ne sia accorto. Ma tre coorti del nuovo governatore Cuspio Fado hanno circondato tutti i suoi seguaci e li hanno fatti a pezzi. Poi Cuspio si è stabilito nel palazzo che era stato di Pilato, proprio nel periodo della Pasqua.

Andiamo con gli altri pellegrini che stanno salendo la scala verso il cortile davanti al Sinedrio. Il nuovo governatore ha messo i suoi legionari dappertutto... Sulla Fortezza Antonia, ma anche sul tetto del Sinedrio. Può scoppiare una rivolta cruenta da un momento all'altro. Hai visto chi c'è fra la calca?»

«Sì» rispose finalmente, «ho visto decine di sicari.»

«Perché permetti che...»

Non riuscii a finire la frase. Disse: «Dio non piega il destino alle fantasie degli umani».

«Non sono fantasie» replicai. «Sono bande di scalmanati armati di pugnali che colpiscono e scompaiono in un lampo.»

Pensai in quel momento a quanto Jeshua fosse umano e quanto fosse divino. Lo avrei preferito umano, in qualche modo simile al corpo di cui mi ero rivestito da tempo. D'un tratto mi toccò con il gomito e disse eccitato: «Hai visto chi sta avanzando?».

«Cuspio?» dissi fra me e me. «Uno dei suoi discepoli?... Kefa? Giovanni? Maria di Magdala? O Khaifa?»

Jeshua ebbe un lieve sussulto quando pensai quel nome a lui troppo noto e causa di tanto dolore.

«No» rispose. «Questo non è più il suo tempo e tu lo sai. Ma quello di un uomo che riveste la stessa dignità.»

Non aveva finito di parlare che si udirono grida, urla e imprecazioni.

Ci guardammo l'un l'altro. Ne fui colpito, forse commosso: mi aveva parlato con gli occhi, cosa che di per sé era impossibile. Ma forse era il corpo che avevo rivestito a sciogliere il gelo fra i nostri sguardi. Nel momento in cui ebbi questo pensiero mi resi conto che qualunque sacerdote avrebbe considerato il mio corpo o come quello di un pio uomo, o di un indemoniato.

Proseguimmo verso la gradinata. La ressa aumentava sempre di più perché la rampa rappresentava un collo di anfora per chi dal piazzale inferiore voleva salirla. Alla base la gente era sempre più compressa, perché ognuno cercava di guadagnare i primi gradini per poi continuare verso l'alto. Il Maestro e io ci muovemmo, senza troppa fatica, verso il centro. Dovevamo dirigerci verso l'alto per raggiungere il cortile antistante il Sinedrio, ma dovevamo volgerci indietro, alla base della rampa, per non perdere di vista il Sommo Sacerdote che, con il suo seguito, avrebbe dovuto raggiungere il cortile dei sacrifici. Là avremmo visto i cambiavalute che prendevano le dracme d'argento coniate in Egitto, Cilicia, Siria, e davano in cambio shekel gerosolimitani lucrando cifre enormi. Jeshua si volse verso di loro e forse in fondo ai suoi occhi evocò la scena in cui, tre lustri innanzi, rovesciava i tavoli dei cambiavalute gridando: «La mia casa è casa di preghiera e voi l'avete trasformata in una spelonca di ladri!».

Pensavo: "Perché non hai proseguito?". Sì, soltanto lui, allora, sarebbe stato in grado di produrre un atto di volontà così potente da deformare le strutture del Tempio e trasformarle nella incurvatura della volta di una caverna. Non lo aveva fatto, ma ora leggeva il mio pensiero, elaborato dalla mente che ricordava quella scena. E forse anche Belial mi leggeva lo stesso pensiero nella mente. E mi dissi, ancora: nessuno può morire due volte. Nemmeno lui. Ma alla sua sinistra un braccio si levò, una mano brandiva un pugnale: il terrore dei Romani e di tutti quelli che non militavano contro di loro. Non riuscii comunque a trattenere un grido: «Attento!».

Non poteva essere che un ferro si piantasse ancora nel suo corpo, così gridai verso il sicario, uno delle migliaia con quel nome che uccidevano nella folla chiunque avessero già condannato secondo le loro convinzioni. Jeshua stava per pararsi dal colpo e gridò: «Non farlo!». Ma io avevo già afferrato il polso del sicario, e strinsi finché non sentii il sinistro scricchiolio delle ossa che gli si spezzavano. Jeshua mi ordinò: «Lascialo! Non può più fare male a nessuno!». Il sicario sparì nella ressa e io restai a meditare su quello che avevo visto e fatto. Jeshua avrebbe potuto terminare la sua opera: rimuovere dal Tempio i mercanti e i maneggiatori di denaro, che per me e quelli come me erano alleati, affinché l'Altissimo riconoscesse che eravamo noi a dominare il mondo. Ma come potevo riconoscere nel Maestro di Nazareth un compagno di viaggio? Come poteva lui riconoscere me? A quel punto non potevamo interrompere il nostro cammino e proseguimmo salendo i gradini della rampa circondati da migliaia di pellegrini e da decine di assassini, che potevano colpire in qualunque momento; poi ecco i sacerdoti e i leviti, il cui compito era di esaminare tutte le vittime sacrificali, che dovevano essere perfette. Se non lo fossero state il pellegrino doveva acquistarne altre e procurare altri guadagni a chi avrebbe dovuto soltanto levare preghiere davanti al Sancta Sanctorum. A metà della rampa si vedevano sugli spalti della Fortezza Antonia centinaia di legionari, e molti altri ancora erano sul tetto del Sinedrio. La loro presenza sul tetto di quell'edificio, a poca distanza dal primo cortile, era una bestemmia, un abominio. Fra i legionari ve n'erano di giovani al primo servizio e alcuni di questi erano facili a lasciarsi prendere dal disprezzo per un popolo che viveva una devozione fanatica e faziosa e che li odiava di un odio senza limiti. Ma quei ragazzi pensavano che la *Romanitas* fosse la più importante delle civiltà – me ne ero reso conto quando avevo visitato la villa dell'imperatore Tiberio – e l'impero l'unico luogo in cui valesse la pena di vivere.

Un folto gruppo di ebrei stava passando attraverso il Sinedrio. Alzavano i pugni chiusi contro i soldati romani sul tetto del grande edificio. Uno di loro, di guardia sul tetto, si produsse allora in una smargiassata offensiva e stupida che fece esplodere l'esasperazione del popolo d'Israele: si scoprì le natiche. La folla s'infuriò e a migliaia si riversarono nel cortile del Tempio scatenando una sommossa che avrebbe potuto diventare una carneficina.

«Maestro» dissi, «la presenza dei sicari in questo luogo non mi dice nulla di buono, e nemmeno le provocazioni dei Romani...»

«Da quando quelli come te si preoccupano che vi sia qualcosa di buono in questo luogo?» mi domandò Jeshua.

«Da non poco tempo» replicai, «cammino nelle tue vicinanze, spesso nella tua ombra. E sono convinto che né tu né molti di coloro che salgono, pellegrini innocenti, a offrire vittime in onore dell'Altissimo, meritino di essere massacrati.»

«E dunque dimmi, qual è il tuo scopo?»

«Io ti ho visto uscire dal lenzuolo funebre senza cambiarne le pieghe e le forme impresse dal tuo corpo. Chiunque vorrebbe aver vissuto una simile esperienza, all'alba di un giorno di primavera. E ora sei con me a ridosso del primo cortile del Tempio, a duecento cubiti di distanza dall'unico luogo in cui abita l'Altissimo sulla terra. Mi chiedo perché quella immensa, solenne dimora sia stata lasciata alla mercé dei membri di fazioni deliranti e sanguinarie che pure si considerano patrioti. Eppure tante volte sei salito su questa spianata a pregare l'Altissimo che si dice ti abbia generato.»

«Non ci curiamo delle dimore di pietra» rispose il Maestro, «ma delle menti e dei cuori dove l'Altissimo preferisce abitare...» Non fece in tempo a terminare la frase che si sentì improvvisamente un grido straziato, a cui altre centinaia e migliaia di voci fecero eco.

Sia io che lui parlammo insieme e dicemmo la stessa cosa: «Hanno ucciso il Sommo Sacerdote Jonatha».

Lo sapevamo: un sicario lo aveva aggredito e gli aveva tagliato la gola; poi, fulmineo, era sparito nella folla.

Jonatha era considerato un corrotto, un traditore, un venduto ai Romani, e quindi doveva morire anche se un accordo fra le alte cariche religiose e il governatore romano era la sola possibilità di costruire un minimo di equilibrio e di pace a Gerusalemme.

«Ancora sangue» disse una voce. E non seppi mai chi avesse detto quelle parole.

La notizia che l'uomo che faceva da tramite fra l'Altissimo e il suo popolo era stato assassinato si era sparsa in poco tempo dovunque, e aveva seminato sgomento. Quell'uomo era il sommo pontefice; l'unico che poteva entrare, una volta all'anno, al cospetto del Creatore, e l'unico che poteva pronunciare il suo nome nel Sancta Sanctorum, dove per secoli era stata conservata l'Arca dell'alleanza. Nemmeno Jeshua si sarebbe potuto inginocchiare davanti alla Presenza del Padre. E anche io avrei tremato se Jeshua, il figlio dell'uomo, fosse entrato in quel luogo. Mai si era eretto al cospetto dell'Altissimo.

Mi vennero in mente le apparizioni di Raphael il triarca delle schiere angeliche, alto otto cubiti, con la spada in mano, tremendo. Dagli abissi più profondi del tempo mai era accaduto ciò che avevo visto. Anche Raphael sarebbe entrato nel Sancta Sanctorum al fianco del vero Messiah, perché neppure un soffio lo sfiorasse?

Jeshua mi volse il volto corrucciato: «Che cosa stai meditando?».

Avevo pensato di lui e non avevo considerato che stesse leggendo i miei pensieri: temevo un suo atto di volontà che mi annientasse, ma continuavamo a procedere tra la folla.

«No, non ho pensato niente del genere» disse quasi volesse rassicurarmi, «non esisteresti più. Andiamo avanti.»

Passammo fra gli animali che venivano acquistati per essere immolati sul grande altare a gradini. Ognuna di quelle vittime doveva essere perfetta, fossero un paio di bovi o una coppia di colombi. Soprattutto il Sommo Sacerdote ne ricavava profitti enormi. Per questo il Maestro aveva il volto pallido e mi guardava con sguardo basso. Intanto il cortile del Tempio si stava riempiendo di una folla sempre più accalcata, l'emozione per quanto era accaduto esagitava sempre di più la moltitudine dei presenti. La situazione stava assumendo l'aspetto di una rivolta. Correvano voci incontrollabili mentre il corpo insanguinato del Sommo Sacerdote, ancora coperto dai suoi paramenti sacri, veniva portato fuori dalla ressa. Il governatore romano non sembrava essere all'altezza del suo compito, in un momento così difficile.

C'erano fra la gente agitatori sempre più numerosi, che istigavano la folla spargendo la notizia che fossero stati i Romani a organizzare l'assassinio del Sommo Sacerdote Jonatha. Vidi più volte lo sguardo di Jeshua alzarsi verso la Fortezza Antonia, gremita di legionari. Che cosa sarebbe accaduto se le coorti legionarie si fossero avventate contro la folla? Anche io volgevo lo sguardo intorno, e con tutte le mie energie mi sforzavo di capire se altri come me si muovessero tra la massa dei presenti. Sarebbe stato l'inizio di una catastrofe. E ciò che temevo si verificò. Inutilmente e forse anche insensatamente volsi lo sguardo a Jeshua come per scuoterlo da quella che sembrava una sorta di torpore.

Un altro legionario commise un sacrilegio che solo il sangue avrebbe potuto riparare: durante un'incursione decisa dal governatore in un gruppo di villaggi, era entrato in una casa dove aveva rubato una preziosa copia della Torah, la legge dettata da Mosè. Il legionario senza esitare aveva afferrato un rotolo dell'opera e, durante una festa, lo aveva fatto a pezzi davanti alla folla.

Il governatore, infuriato per un gesto che non aveva alcun senso e che avrebbe ferocemente offeso i sentimenti religiosi, diede ordine di arrestarlo immediatamente e di decapitarlo, davanti alla torma degli Ebrei pazzi di collera sulla spianata del Tempio. Ma non bastò. Il governatore, visto che l'esecuzione di uno dei suoi soldati non aveva sortito il risultato che sperava, invece di rivolgersi alla folla cercando di calmarla, in preda al furore lanciò contro di loro quattro coorti armate da capo a piedi. Gli Ebrei, ormai certi che sarebbero stati trucidati, cercarono in tutti i modi di attraversare lo stretto passaggio per uscire dal cortile, ma così facendo caddero a migliaia, trafitti dalle spade e dai giavellotti, e molti altri morirono calpestati e stritolati dalla calca. Si disse che ventimila persone persero la vita.

Quella notte l'intera città di Gerusalemme risuonò di grida e di lamenti. Le donne piangevano la perdita dei mariti, dei fratelli e dei figli. Le prefiche, vestite di nero, piangevano con le lamentazioni di Geremia. Molti dei superstiti urlarono le loro maledizioni contro gli invasori e oppressori romani.

«Dimenticano» dissi «che i figli di Israele entrarono nella Terra promessa sotto la guida di Giosuè, con l'ordine di Mosè di uccidere tutti i suoi abitanti: vecchi, bambini, donne, anche quelle non ancora mestruate.» Poi, rivolto a Jeshua: «Mi hai fatto una domanda: "Qual è il tuo scopo?"».

«Qual è il tuo scopo?» ripeté il figlio dell'uomo.

«Io non ho scopo, perché chi mi ha chiamato dal nulla non mi ha chiesto se volevo esistere, se volevo soffrire un dolore continuo, una tortura infinita, il terrore di essere annientato sempre ad attanagliarmi l'anima (ma ce l'ho l'anima, o me l'ha strappata l'Altissimo perché non un pensiero prendesse forma nel mio essere?). Per ora il mio scopo è di camminare dietro di te o al tuo fianco perché tu sappia qual è il mio tormento, ingiusto come lo fu il tuo.»

«Tu bestemmi» disse Jeshua.

Risposi: «Guarda nel mio pensiero e dimmi il male che vi hai trovato, ora e prima. E ricorda, ti prego, la frase che ti fece adirare. Non volevo tentarti... come fece, io penso, Belial più di venti anni or sono quando ti tentò nel deserto. Io volevo scatenare il tuo potere contro gli ipocriti che volevano consegnarti a una morte atroce, vergognosa e ingiusta. Lo so, fosti tu a volerlo. Ma qualcuno si macchiò del sangue di un innocente».

Restammo fino al crepuscolo, e poi fino alla sera ad ascoltare le grida dei feriti, i pianti delle madri, che anche il figlio dell'uomo comprendeva, perché aveva visto sua Madre accanto alla croce, macchiata del suo sangue.

«E qual è il tuo scopo?» domandai a mia volta a Jeshua.

«Aiutare i miei discepoli. Io li ho voluti accanto a me, io li voglio mandare dovunque a cambiare il mondo. È questo l'avvento del regno di Dio sulla terra, e non altro. I re e i Messiah gridano per se stessi, versano sangue dovunque.»

«E quindi la tua Redenzione è vera? Il tuo sacrificio ha sortito il suo risultato?»

«È per sapere questo che sei stato inviato in questo mondo e in questo luogo, dunque; a questo hai obbedito. Ma a chi? A Belial? A Satana stesso?»

«Non hai mai proferito quel nome, figlio dell'uomo, da

quando sono qui. Una voce è risuonata nell'isola di Paxos, e ha gridato *Il Grande Pan è morto!* Una intera isola ha tremato, e un imperatore mi ha invitato nella sua residenza sull'isola degli dei, dove ho visto il triarca degli angeli: Raphael, tremendo, gigantesco, armato come il più possente dei guerrieri. Io e te siamo scesi agli Inferi assieme a incontrare le anime dei morti. Abbiamo parlato, camminato sulle montagne, navigato salvando tanti bambini destinati alla schiavitù. E voglio di nuovo parlare con te, se me lo concedi.»

«Sarà un pericolo per te, per quella punizione terribile che ti spaventa, anche se non so di che cosa vorresti parlare.»

«Penso di essere stato inviato qui perché qualcuno dei miei simili vuole sapere che cosa accade e che cosa è accaduto dalla vostra ultima cena fino al tuo processo davanti a Ponzio Pilato, dal messaggio segreto di Claudia Procula, sua moglie, alla tua crocefissione, dalla mia notte gelida entro il tuo corpo esanime fino alla tua attuale condizione luminosa e al tuo potere, che ti permette di viaggiare nel tempo e sulla terra. E forse vuole sapere ciò che è appena accaduto: lo sterminio di migliaia di pellegrini sul cortile del Tempio. Sai che anche io posso condividere con te un tempo e uno spazio come stiamo facendo adesso, e il destino dei tuoi discepoli in cui hai riposto tutte le tue speranze.

Ora andiamo a vedere se qualcuno stia vegliando in preghiera come chiedesti invano la notte in cui sei stato tradito» conclusi.

Ci trovammo al centro del cortile del Tempio e davanti a noi c'era Giacomo, fratello di Giovanni. Era inginocchiato, assorto in preghiera, come ogni giorno e ogni notte. Non sarebbe partito con gli altri a predicare. Una parte delle speranze e del sogno di Jeshua era già perduta.

XIX

Non sapevo cosa realmente volevo dal mio compagno di viaggio. Non sapevo quali erano i miei terrori né quali i miei dolori in quel momento.

Avevo incontrato Belial da tempo ormai, ma quell'essere non si era più mostrato, e comunque non mi era lecito evocarlo. Volevo parlare con Jeshua ma non sapevo a chi rivolgermi: se all'uomo che avevo visto soffrire e morire e che avevo sfidato a scendere dalla croce, o al semidio che si era rifiutato di accettare la sfida ma che poi era risorto dai morti. Per il momento il suo sogno non era tanto diverso e lontano da quello dei briganti che battevano le campagne a saccheggiare le case dei ricchi, dei sacerdoti e dei leviti ipocriti, o da quello dei sicari che avevo visto assassinare uomini tra la folla che saliva al Tempio per offrire una vittima immacolata all'Altissimo, e cioè il regno di Dio sulla terra, quella terra che era stata da lui donata al suo popolo dopo avergliela promessa.

Tutti volevano cacciare i Romani, e dovunque si stavano preparando alla comparsa del Messiah. I rivoltosi avevano occupato la Fortezza Antonia e controllavano la spianata del Tempio. Ma pochi sapevano che Roma schierava trentotto legioni nelle aree periferiche dell'impero, e undici flotte sul mare.

«I Romani reagiranno» dissi «e attaccheranno con tutta la

loro forza, e questo significa la distruzione di Gerusalemme.» Mi volsi a Jeshua: «La sola speranza del tuo popolo sei tu».

Jeshua mi guardò con un'espressione enigmatica: «Non posso ricostruire il passato per cambiare il futuro. È folle: Dio è il primo a rispettare le leggi che ha creato».

«E i tuoi discepoli, dove sono?» domandai. «Giacomo, fratello di Giovanni, sta sempre nel tempio a pregare, mentre Giovanni vive con tua Madre a Efeso in mezzo ai pagani. Cosa significa? Che per lui vale solo e ancora la legge di Mosè? Che la tua venuta al mondo non ha cambiato il suo modo di pensare? Che non conta nemmeno il tuo sacrificio, né conta la tua tomba vuota né la tua apparizione nella sala in cui fu consumata l'ultima cena?»

«Giacomo mi sarà fedele» rispose Jeshua «come io sarei stato fedele a Giovanni detto il Battista che battezzava sul Giordano...»

«E che fu decapitato per i capricci di una ballerina. Forse eri già qui fra Cafarnao, Gerico, Gerusalemme.»

«Forse non fu solo la ballerina» rispose Jeshua. «Forse anche tu o altri del tuo genere entraste in quella fortezza imprendibile... Macheronte! Chi incendiò la libidine di Erode Antipa al punto di fargli sposare la vedova di Filippo suo fratello? Chi fece divampare la sua lussuria per Salomè? La sua danza? Non solo. Forse ora capisci quello che dissi dalla croce, quelle parole che solo tu udisti. L'Altissimo ha creato delle anime capaci di tutto il bene e di tutto il male: tu fai parte del secondo popolo.»

«Ho capito anche che gli occhi che si aprono e si chiudono sotto la mia fronte possono piangere come ha pianto tua Madre, come hanno pianto tutti coloro che ti amano.»

«Forse» disse ancora Jeshua «sei già di nuovo all'opera. L'esercito romano si sta muovendo al comando di Tito Flavio Vespasiano.»

«... al quale si accompagna la principessa Berenice, ebrea. Ma non credo di avere tanta potenza. Solo tu, Maestro, puoi salvare Gerusalemme.»

«Quindi era vero il tuo desiderio, eri tu a dire "il mondo non può esistere senza Gerusalemme".»

«Sì, è vero: l'ho detto; e tu di certo sai che ho detto il vero. Qui, l'Altissimo volle che l'arca fosse posta in un tabernacolo, segno della...»

«Non osare...» disse Jeshua «non è lecito a uno del tuo genere raccontare la storia del viaggio dell'Arca dell'alleanza fino al Tempio di Salomone.»

Tremai al pensiero di avere osato troppo, di avere varcato la linea che separa la luce dalla tenebra, e temetti di essere annientato, ma ripresi ugualmente a esporre la mia convinzione. Guardai Jeshua che alzava lo sguardo verso il pinnacolo del Tempio, e poi a settentrione-occidente, a contemplare le torri delle tombe degli Asmonei e la torre di David. Era dipinto dalla luce del crepuscolo. I capelli rilucevano di rosso sul moro, gli occhi verdi erano attraversati dalla luce occidua.

Era bello come un dio pagano.

Da lontano si udì il rullo ritmato dei tamburi della V legione Macedonica e della XII Fulminata, ma dagli spalti del Tempio esplodevano fragorosi i lanci di catapulte e di balliste che l'artiglieria del comandante Giscala usava per cercare di tenere lontani gli assalti dei sicari zeloti.

«Che facciamo?» domandai a Jeshua. «Tito sarà presto imperatore, e il conferimento del comando supremo da Vespasiano al figlio è solo un preparativo per la porpora. Ma un futuro imperatore deve dar prova delle sue capacità militari: e quale prova sarebbe mai più grande della conquista di Gerusalemme?»

«Cosa vorresti fare?» mi domandò Jeshua.

«Niente» risposi. «Se tu non vuoi fare nulla come potrei io? Ti prego, Signore, salva Gerusalemme.»

«Dimmi perché hai voluto a ogni costo viaggiare fino a qui e in questo tempo: così tanti anni dopo la mia morte.»

«Perché tu vedessi la miseranda condizione della Città Santa straziata da scontri continui fra le fazioni. Nessuno ha pietà di Gerusalemme nel momento in cui le legioni di Roma marciano contro le mura della città. Io che non ho il potere di sovvertire questa situazione ne sento tuttavia la necessità. Molti anziani ricordano che, ancora bambino, lasciasti la comitiva dei pellegrini galilei e i tuoi genitori ti cercarono ansiosamente finché non ti trovarono a disputare con i sacerdoti sulla legge. Ora non potresti più farlo, perché il Tempio è profanato da tanto sangue, da tante migliaia di assassini che uccidono a colpi di coltello e poi si dileguano. I figli dello stesso popolo si massacrano fra di loro. Dunque se tu non vuoi usare il tuo immenso potere per salvare la città, allora sarò io a muovermi e ad agire. E se un giorno si dirà che i figli delle tenebre hanno salvato Gerusalemme saprò io che cosa rispondere. E come ora la città è dilaniata da lotte tra fratelli e la spianata del Tempio è rossa di sangue, così sarà nei secoli a venire.»

Jeshua non volle lasciare le mie parole senza risposta, e disse: «I miei discepoli cambieranno il mondo, il loro esempio trascinerà migliaia di persone che a loro volta si spargeranno nei villaggi e nei casolari. Erigeranno templi immensi nel cuore delle grandi città, perché la presenza di Dio si incontri dovunque.

Saranno perseguitati da ogni parte ma vinceranno... Il mondo attende uomini nuovi che rispettino le tradizioni degli antenati e la Legge, un mondo in cui si proteggano le donne, i vecchi e i bambini, dove si coltivino l'onestà dei governanti, l'aiuto ai deboli e ai poveri, ai malati...»

Non seppi come immaginare quel mondo.

Me ne andai.

XX

Gerusalemme, 70 d.C.

Avrei tanto voluto camminare al suo fianco, diretti a Emmaus verso il tramonto, attraversare il mare sul mio *Dafne*: io in forma di un gabbiano nero passare tra le vele. Ma come? C'erano abissi eterni fra noi.

A mano a mano che avanzavo verso occidente e scendevo il declivio di Sion, il rullo dei tamburi della Quindicesima si faceva più forte, e ancora più lontano rombava il tuono. Cosa avrei potuto fare per Gerusalemme?

Indossai vesti eleganti, di lino e di bisso; mi presentai al crepuscolo all'ingresso del pretorio e mi rivolsi a un tribuno declinando un nome – Demetrio – e chiedendo di essere ammesso alla presenza del comandante supremo: Flavio Tito. In poco tempo il tribuno fu di ritorno: «Il comandante supremo chiede chi sei e perché vuoi incontrarlo».

«Sono stato a lungo il responsabile di un tratto delle mura occidentali di Gerusalemme, ma la situazione della città e non meno quella della Giudea è critica, e ho pensato di chiedere aiuto al comandante Tito in cambio di informazioni di interesse.»

Il tribuno mi fece cenno di seguirlo; mi indicò una sella curule da campo e andò a conferire per un momento con il comandante Tito, che indossava il paludamento rosso della massima autorità dell'esercito e la tunica militare. Alla sua sinistra sedeva una bellissima donna alla quale sembrava andassero tutte le sue attenzioni.

Domandai al tribuno: «Chi è quella splendida femmina?».
«Meglio che non la guardi» mi consigliò il tribuno. «È Berenice di Cilicia e Tito è pazzo di lei.»
«Ho sentito dire che è ebrea.»
«Esattamente. Della dinastia degli Erodiani. Si dice che abbia avuto una unione incestuosa con suo fratello Erode Agrippa.»
«Quanto è potente?» domandai.
«Moltissimo» rispose il tribuno. «Tito non può staccarsi da lei per più di un giorno.»
«Impressionante.»
«Si dice che sia un'amante ardente, dotata di una grande fantasia erotica. Non c'è nessuno che non la desideri, ma ognuno si trattiene dall'esprimere qualunque forma di ammirazione: le conseguenze potrebbero essere pericolose. Nei momenti più conviviali dei soldati circola un'espressione che recita: Berenice la meretrice.

Lei sa bene come comportarsi. Una delle sue mosse più audaci fu convincere il re Polemone di Cilicia a farsi circoncidere, operazione che per un ellenizzato era considerata deturpante. Basta osservare un nudo maschile di fattura greca per rendersi conto che né un greco né un romano permetterebbero mai ad alcun chirurgo o medico di privarli del prepuzio. Dall'altra parte qualunque maschio di etnia giudaica e di fede israelita sa che la circoncisione è una sorta di marchio che testimonia l'appartenenza al popolo eletto, l'alleanza fra Israele e il suo Dio.»

«Lo so bene» replicai, «perché anche io sono un uomo e un figlio di Israele.» Mentre ancora scambiavo qualche frase con il tribuno vidi un uomo con abiti di foggia giudaica che entrava nel pretorio affiancato da due legionari.

«Chi è quell'uomo?» domandai al tribuno.

«Lo conobbi all'assedio di Iotapata, una città fortificata della Galilea» rispose il tribuno, «che circondammo con tre legioni: la V Macedonica, la X Fretensis e la XV Apollinaris. Il suo nome è Ioseph ben Mattyahu. Era lui il comandante della città e si rivelò un ottimo soldato: coraggioso, astuto e capace di tenere alto il morale dei suoi uomini che si batterono eroicamente...»

Mentre il tribuno parlava notavo che sia Tito che Berenice tenevano d'occhio il nuovo arrivato, e dopo poco il comandante supremo lo invitò alla sua mensa. Sapevo perché: Iotapata aveva retto per otto giorni ma poi, venuta a mancare l'acqua ed essendo crollato il morale dei combattenti, Ioseph aveva chiesto un abboccamento con Vespasiano, il padre di Tito, un grande soldato, stimatissimo da Nerone che pure non amava la guerra. Dopo una discussione serrata si arrivò a un accordo. Ioseph a quel punto aveva sedicimila caduti sulle spalle dalla sua parte e un compromesso con i Romani. Questo pesava molto sui gruppi radicali e più aggressivi degli zeloti e dei sicari al seguito dei loro comandanti: Giovanni di Giscala e Simone Bar Giora. Ma gli estremisti a loro volta erano responsabili di massacri dove la fanteria leggera dei ribelli, fatta di arcieri e frombolieri come David contro il gigante Golia, si misurava contro la fanteria pesante romana.

Verso le ore tarde anche io fui convocato alla mensa di Tito. Le conversazioni si erano estese nel circolo più vicino a lui, che a un certo punto mi si rivolse dicendo: «Mi sembra che tu sia molto bene informato, ospite, e mi piacerebbe chiedere a te qual è la condizione delle mura di Gerusalemme e delle nuove torri erette sulla spianata del Tempio. Sono certo che ci faranno tribolare non poco».

Il tribuno aggiunse: «Ho visto combattere i Giudei, sono formidabili».

Il comandante supremo replicò ironico: «Abbiamo centosessantatré macchine da guerra».

«E questo vi farà prevalere quando verrà il momento dello scontro e dell'assalto» risposi.

Tito mi fece segno di andare a sedermi vicino a lui e io obbedii.

Subito dopo fece lo stesso cenno a Ioseph: «Circola da tempo una storia che ti riguarda e che riguarda mio padre».

«È vero, comandante. Tuo padre assediava Iotapata, una roccaforte in cima a una collina in Galilea. La formidabile artiglieria dei Romani, catapulte, balliste e scorpioni, martellava le mura pur robuste della cittadella, e ormai la maggior parte dei ribelli pensava che la caduta della fortezza fosse questione di giorni se non di ore. La maggior parte dei ribelli, quindi, decise di togliersi la vita piuttosto che cadere prigionieri e schiavi dei Romani.»

Ioseph, che era di casta sacerdotale e imparentato con la dinastia reale degli Asmonei, si era opposto, considerando il suicidio un'azione da condannare, contraria ai dettami della Legge. Aveva perciò ideato un ingegnoso sistema di sorteggio per cui ognuno che fosse estratto venisse ucciso da un altro compagno anch'egli designato dalla sorte. Ioseph però fece in modo di restare l'unico che non veniva designato per uccidere o per essere ucciso. Dopo di che facilmente convinse Vespasiano a un abboccamento alle soglie della città dove ottenne di avere salva la vita e di seguire l'armata del comandante.

«Mio padre intanto era riuscito a consultare l'oracolo del monte Carmelo» rispose Tito, «ottenendo un oscuro responso, che tu riuscisti brillantemente a interpretare nel senso che Vespasiano sarebbe diventato imperatore. Questo ti valse la cittadinanza romana e l'adozione alla gens Flavia, da cui il tuo nome Flavio Giuseppe.»

Giuseppe accennò e rispose, cinico: «Non volevo essere considerato un traditore del mio popolo, e il marchingegno che avevo ideato lasciava la scena pulita dopo aver soddisfatto il desiderio folle dei resistenti. D'altra parte, la responsabilità del massacro di Iotapata ricade sui ribelli e sulle decisioni estreme che io non condividevo. Mi ero battuto con tutte le forze per difendere la città e non potevo fare di più. Il suicidio di massa era una decisione assurda ed empia.

Ora sono in condizione di stabilire con Roma una politica meno dura e aggressiva di quella che vuole il fanatismo degli zeloti che spargono il terrore dappertutto. Il risultato non può essere che la catastrofe di Gerusalemme. Di certo» mi disse, «ricorderai l'insensato e maniaco comportamento di Caio Cesare soprannominato Caligola, figlio del leggendario Germanico, che emanò un decreto per il quale si doveva porre la sua statua nel Sancta Sanctorum del Tempio, da adorare come un dio.

I più alti rappresentanti del Sinedrio e i capi militari dei ribelli armati fecero sapere al governatore della Siria che per mettere la statua di Caligola nel Tempio avrebbero dovuto sterminare l'intero popolo d'Israele, che avrebbe combattuto fino all'ultimo respiro e fino all'ultima goccia di sangue. Fu la mano dell'Altissimo a evitare quella spaventosa carneficina: Caio Cesare fu assassinato dai suoi pretoriani all'età di soli ventinove anni».

«Ora che accadrà?» domandai.

Flavio Giuseppe si guardò intorno concentrando il suo sguardo sulla coppia assisa, sulla sella curule Tito, e su un grande cuscino lei, Berenice, in un abito che le lasciava scoperti le cosce e i seni. Ci guardava curiosa, con un atteggiamento di libidine e di lascivia quale né io né Giuseppe, penso, avevamo mai incontrato.

Nemmeno Giuseppe, benché di casta sacerdotale, era immune da quella vista, e non riusciva a staccarsene; gli feci una domanda: «Giuseppe, quanto è potente quella donna?».

«Uno dei tre uomini più potenti del mondo è ai suoi piedi» rispose. «Dunque Berenice è più potente di lui.»

«Ne sei sicuro?»

«Come di essere qui. Perché mi fai questa domanda?»

«E chi può essere, allora, più potente di lei?»

«Tu.»

«Ti fai gioco di me» replicai sorpreso.

«Lei ti guarda, e ha capito chi sei o cosa sei.»

Mi ricordai che l'uomo che sedeva accanto a me aveva sciolto l'oracolo del monte Carmelo, e dunque poteva capire anche chi ero o che cosa ero.

«Non hai capito» disse Giuseppe con un lieve sorriso ironico. «Tu hai quello che lei vuole perché quello che ha non le basta. Di sicuro vuole il potere; vuole sedere sul trono più alto del mondo e non le sarà difficile, ma non è tutto: una come lei vuole anche altro e tu, per quello, puoi soggiogarla. Ma se riuscirai, a che scopo userai l'ascendente che avrai su di lei?»

«Questo non te lo posso dire, Flavio Giuseppe, non ora.»

XXI

Entrai sul far della sera del giorno successivo nello studio di Flavio Giuseppe, ospite di Flavio Tito. Il futuro imperatore era un uomo tozzo e massiccio, smisuratamente avido di sesso in tutte le sue forme, deviazioni, degenerazioni e perversioni. Si diceva che qualcuna delle sue numerose concubine fosse stata vista uscire dalla sua camera da letto singhiozzando e strillando.

Fra tutte quelle femmine, di ogni razza ed etnia, che si erano sottoposte ai suoi amplessi, una sola si era profondamente dilettata: Berenice, la regina di Cilicia. Si erano sentite le grida di piacere, i mugolii degli orgasmi continui, i cigolii e lo stridore dei piedi del letto sotto i colpi d'ariete del comandante delle legioni romane e futuro imperatore. Gli intimi di Tito dicevano ridacchiando che la vagina della sovrana di Cilicia e favorita del prossimo imperatore non temeva nessuna verga che la penetrasse.

Date queste premesse, non stupisce che chi era entrato nella grande tenda privata all'interno del pretorio avesse potuto vedere una collezione di quadri di varie epoche e dimensioni, alcuni originali, altri realizzati da copisti di grandi maestri greci, che raffiguravano scene erotiche: si poteva vedere Pasifae e il toro che la montava nascosta entro una vacca di legno, unione mostruosa, opera di Dedalo, che avrebbe generato il minotauro; c'era poi un famoso quadro di Apelle, già di proprietà di Tiberio, acquistato per dodici milioni di sesterzi, che rappresentava Atalanta che dava piacere con la bocca a Meleagro; e poi il più famoso di tutti, Leda e il cigno, tema visitato da decine di pittori; meno dagli scultori perché pochi osavano scolpire il collo serpentiforme, fragilissimo del cigno. E non mancava Zeus che aveva la parte inferiore del corpo simile a quella di un tritone, ma con possente scettro che penetrava fra le cosce di Olimpias, regina di Epiro e di Macedonia, che avrebbe partorito Alessandro.

I pettegoli di corte dicevano che la splendida Berenice avrebbe provato l'amplesso di tutti quegli amanti ferini ben volentieri, bramosa come si diceva fosse di esplorare ogni forma dell'Eros.

Ciò che stupiva di quell'ambiente era un dipinto che ritraeva Berenice completamente nuda e coricata sul fianco destro, guardando a sinistra; i capelli d'oro a cascata, il corpo in torsione che mostrava glutei spettacolari e seni prepotenti che ostentavano punte dure color di rosa. La pittura era comunque di una delicatezza infinita. Il colore chiaro della pelle non aveva nulla delle immagini ferine di femmine lascive in atto di copulare con animali di ogni genere.

«Tu sei mai entrato in quella tenda?» domandai a Giuseppe.

«Sono un uomo di preghiera e di devozione al Signore. La nostra religione ci proibisce non solo le rappresentazioni di ogni tipo di fornicazione, ma di qualsiasi immagine che diventi per noi idolatria.»

«Eppure ieri sera ti sei intrattenuto a lungo con me, alludendo alla possibilità che io potessi domare quella femmina con il bastone che ho fra le gambe.» Un sorriso sardonico si delineò sul mio volto, che vedevo riflesso in uno specchio d'argento lucidato. Ma forse vidi anche Belial che mi passava dietro le spalle, e forse anche Astarot, demone fra i più potenti: da tempo avevo capito che mi seguiva.

Giuseppe chinò il capo: non poteva negare.

Io proseguii: «Tu hai la tua gente e forse la hai anche ingannata a Iotapata: il tuo marchingegno matematico era fatto in modo che tu rimanessi, alla fine, l'unico vivo».

«Non li ho traditi; se li avessi lasciati agire come volevano, il fanatismo e la violenza sanguinaria avrebbero portato alla catastrofe l'intera nazione. Alcuni dei miei più fidati amici erano presenti al Sinedrio che giudicò Jeshua di Nazareth. Erano terrorizzati che il popolo lo seguisse per i suoi prodigi: ciò avrebbe fatto infuriare i Romani, che avrebbero compiuto un massacro.»

«E non è andata così?» domandai.

«Certo, ma non per colpa di Jeshua. Per colpa dei fanatici e dei sanguinari» ribatté Giuseppe. «È stata colpa loro la reazione spaventosa dei Romani: duemila croci bastano?»

«E tu ora stai con loro. Hai la cittadinanza.»

«È l'unico modo che mi permette di trattare, ottenere la pace e, in questo momento, forse, evitare la distruzione totale di Gerusalemme. Tito marcerà con sette legioni. Questa città è per noi la vita del popolo, l'unica dimora di Dio sulla terra. Puoi capire adesso?»

«Capire? Sì, posso capire, molto più di quanto tu possa immaginare.»

«Me ne sono accorto. Chi sei?»

«Per i Romani mi chiamo Demetrio.»

«Non intendevo il nome, ma ciò che sei. Percepisco in te una sostanza inquietante.»

«Te l'ho già detto: hai sciolto l'oracolo del Carmelo; penso che tu possa sciogliere anche il mistero della mia entità. Ora devi farmi capire cosa devo fare. Ma prima voglio sapere che cosa scrivi sui tuoi rotoli o dètti all'amanuense.»

«Scrivo la storia del mio popolo e le guerre che ha combattuto per preservare la religione e l'indipendenza.»

«Leggerò quel libro quando sarà pubblicato giusto per vedere se quel popolo ci sarà ancora.»

«Dipende.»

«Allora dimmi che cosa devo fare con la principessa.»

«Devi conquistarla e poi indurla a convincere Tito a risparmiare Gerusalemme. Io lo conosco. Se gli faremo una proposta interessante potrebbe accettare.»

«Così facile?»

«Lo vedrai. Io ti procurerò l'incontro.»

Lo osservai e lo ascoltai attentamente, ma mi disturbava quell'intesa che sapeva di disgustoso compromesso e complicità: da un lato un uomo potentissimo, dall'altro uno capace di qualunque intrigo o imbroglio. E io stesso, avido di quella pelle, di quelle forme, di quei seni e di quelle cosce e di quei glutei che mi avevano accecato di un desiderio che mi avrebbe reso capace di qualunque bassezza.

Poco dopo vidi Berenice attraversare l'accampamento. Era di una bellezza mai vista, e l'idea di avere accesso alle sue grazie mi faceva impazzire. Come avrei potuto riuscirvi senza ricorrere ai miei mezzi innaturali? Evidentemente avrei dovuto farvi ricorso. Pensai di raccogliere dei fiori. Che avrebbe pensato Belial? C'erano dei gigli selvatici tigrati e cominciai a tagliarne i gambi con un piccolo coltello. Sentii il rumore lieve di piedi di gazzella... Un passo di donna. Era lei?

Una voce armoniosa mi convinse che avevo indovinato: «A chi donerai quei gigli meravigliosi?» domandò la voce seducente, luminosa.

Riuscii a trovare le parole che lei avrebbe potuto gradire: «A te, se vuoi».

I miei mezzi... Potevo plasmare il corpo che avevo indossato prima di salire al Golgota come se stessi creando un'opera d'arte. Sorridevo come un uomo felice. Il mio torso non era più sanguigno, ma quello bronzeo di un atleta olimpico, le mie gambe quelle di un guerriero oplodromico, le mie iridi e il mio sguardo capaci di esprimere sentimenti, gli occhi di riflettere l'immagine della perfetta bellezza che avevo nuda davanti a me, e il mio corpo emanava un profumo naturale come era stato quello di Alessandro. Niente di meno per la donna più bella del mondo, ma che forse avrebbe amato di più i gigli selvatici che stavo per offrirle.

Berenice mi guardò con l'intensità degli occhi di una dea. «Lo desidero immensamente» replicò. «Sai come mi chiamano qui?»

«Impossibile saperlo per me. Dovrei pensare, e forse pronunciare, dire qualcosa di odioso, ripugnante.»

«Allora lo dirò io. I tuoi gigli selvatici saranno il velo che coprirà quei suoni e le immagini che potrebbero evocare. Mi chiamano Berenice la meretrice.» Le porsi il mazzo di gigli tigrati che avevo raccolto per lei, e le fiorì sul volto una luce di gioia.

«Vedi quel bosco di pini di Aleppo, lassù a metà della collina?» mi chiese.

«Lo vedo, mia signora.»

«E vedi anche quel piccolo rudere?»

«Lo vedo.»

«Non è un rudere. È un regalo che mi fece il tetrarca di Traconitide e io sola vi ho accesso; io sola posso invitarvi un ospite.»

Stava per aprirmi tutto il calore della sua intimità e quasi non potevo crederci.

Giunti davanti alla porta, Berenice aprì con una piccola chiave ed entrò: non seppi che fare finché la sua voce non mi chiamò. C'erano due finestre che illuminavano l'interno e alle pareti delle pitture floreali. Berenice mi porse una brocca: «Vorresti attingere un po' di acqua fresca dalla fontanella dietro la casa? Vorrei mettere in un vaso i gigli che mi hai donato».

Uscii ad attingere l'acqua e indugiai ad ascoltare il canto degli uccelli, benché bramassi spasmodicamente di vederla, di abbracciarla, di possederla, nonostante tutto questo fosse ferocemente, atrocemente proibito per me, pena l'annientamento, perché nel nostro spazio di tenebra nessuna gioia, nessun piacere, esiste.

Tornai alla porta e non seppi che fare, non seppi cosa immaginare a proposito di quel breve futuro che mi separava dalla più splendida donna al mondo, il cui grembo avrebbe potuto piegare il destino di un impero.

Entrai e l'ebbi di fronte, sdraiata e nuda, appoggiata sul fianco destro, le cosce una sull'altra, una nube di capelli d'oro che in parte cadeva fuori dal letto, la schiena adagiata sì che i seni erano eretti e culminavano con le punte rosate. Teneva il braccio simile a quello di Elena di Sparta con la piccola, deliziosa mano abbandonata sulla curva del fianco e con le dita che accarezzavano il fastoso gluteo sinistro.

Mi spogliai e subito mi avvicinai, seguito dal suo sguardo divino. Non volli asservirla subito alla mia libidine, ma mi inginocchiai a contemplare ogni lembo della sua pelle e ogni curva del sublime paesaggio del suo corpo.

La desiderai come un folle, volevo tutto di lei, volevo respirare nella sua bocca, baciare le sue labbra colore del melograno e riempire la mia bocca con il suo seno.

Mi si avvinghiò con la forza di un'edera, così potente da farmi sentire il battito del suo cuore. Entrai nel suo corpo, mi spinsi verso il centro del suo ventre e le comunicai i miei brividi che già creavano i suoi orgasmi, uno dopo l'altro. Si spinse a sua volta fino alla radice del mio albero con tutta l'energia del suo desiderio, gemendo e gridando mentre io abbrancavo i suoi glutei e li traevo verso il mio inguine sferrando contemporaneamente poderosi colpi d'ariete, facendo sussultare il letto. Non aveva mai fatto l'amore con un essere umano che aveva costruito il suo aspetto a suo piacimento, e a piacimento di sé riempito di potenza ogni suo atto. Eppure nessun suo gesto era volgare, nessuna sua parola, come non lo erano le mie. Lasciai che percorresse con i suoi baci tutto il mio corpo e lei volle che io adorassi il suo.

Seguì un lungo silenzio.

Due cavalli erano apparsi, legati a un tronco; scendemmo uno accanto all'altra verso l'accampamento.

Ci congedammo. «Ti rivedrò?» chiese.

«Spero di sì. Ciò che è accaduto fra noi mi ha profondamente segnato. Ma tu hai un legame con Tito e non possiamo dimenticarlo. Il motivo per cui sono qui è di immane importanza. Gerusalemme.»

«Che cosa ti lega a Gerusalemme?»

«Milioni di persone sono legate a Gerusalemme. Ma non lasciamoci vedere in questo luogo.»

Ci salutammo e io ritornai alla mia tenda. Non passò molto tempo che Flavio Giuseppe mi raggiunse.

«Avete cavalcato» disse. «Se foste tornati a piedi avreste dato meno nell'occhio.»

«Sia all'andata che al ritorno Berenice è stata attenta e ha scelto un sentiero che pochissimi conoscono.»

«Ora dobbiamo stabilire il da farsi. La città è perduta: le

fazioni si massacrano a vicenda e Tito marcerà presto con le sue legioni.»

«Che si può fare allora? Qual è la tua intenzione?»

«Salvare il Tempio. Mi hai chiamato traditore ma sbagli. So bene che la città non può più salvarsi, ma se diamo a Tito quello che vuole, ossia informazioni sulla situazione a Gerusalemme, forse lo convinceremo a risparmiare il Tempio che è l'anima della nazione e del popolo.»

«E Berenice?» domandai. Ero stato preso dalla sua incredibile bellezza e dalla sua formidabile potenza erotica: nessun uomo al mondo avrebbe potuto resisterle.

«Penso che tu abbia già adesso un grande ascendente. Devi solo farne buon uso. Nemmeno Tito può resisterle e se lei ti chiama ancora, falla contenta, fa' che desideri di darti il piacere più grande, intenso e profondo, e l'avrai totalmente conquistata. Chiedile a quel punto di aiutarti a convincere Tito.»

«Quando potrò parlare con il supremo comandante?» domandai.

«Domani, al secondo turno di guardia. Avrà un convegno di tutti i legati di legione nel pretorio e gli farà molto piacere mostrare loro che domina la situazione sul campo con tutte le informazioni. Gli farò sapere io che è importante che ti interroghi.»

Pensai intensamente a Jeshua: dov'era? Che cosa pensava di me, demone perduto nella tenebra infinita? Chi aveva incontrato in questo tempo? Era tornato in Galilea? Forse non voleva più camminare con me; aveva visto ciò che avrei voluto non vedesse nessuno e forse non pensava più a Gerusalemme abbandonata dai suoi figli, abbandonata dal suo Signore, abbandonata anche dal suo inferno.

Volai come corvo sopra gli accampamenti, vidi le macchine d'assedio, le armerie, udii le cospirazioni delle spie, i progetti dei comandanti.

Venne l'ora del secondo turno di guardia e mi diressi verso il pretorio cercando con lo sguardo, dovunque, Berenice, ebrea e amante del distruttore di Gerusalemme, la città che io avrei voluto salvare, senza una ragione. Se solo Jeshua mi avesse aiutato. Lui che poteva tutto.

Tito era seduto fra i legati di legione in uniforme, e io mi ero seduto in fondo alla tenda pretoria, a destra dell'ingresso vigilato da due legionari. Entrò Giuseppe, si sedette accanto a me e mi rivolse la parola: «Tito ti chiederà di parlare per primo, perché così i comandanti di legione avranno più elementi per preparare l'attacco, se questa sarà la sua decisione».

«Non avrò problemi, penso. Parlerai anche tu?»

«È probabile. Conosco l'ambiente, la gente e la storia che sto mettendo per iscritto. Ti farò io un segnale quando avrai parlato a sufficienza, mettendo una mano sull'altra, e queste sulle ginocchia.»

Il comandante supremo mi fece un cenno, mi alzai e raggiunsi il podio dove il generale mi venne incontro e mi strinse la mano. Poi mi fece il gesto con la mano a palmo in alto che tracciava un mezzo cerchio davanti a sé, a significare il permesso di prendere la parola.

Cominciai: «Un saluto a tutti voi comandanti delle legioni e delle coorti dell'esercito romano impegnato nelle azioni che dovranno assicurare la pace in questa terra. Sono stato invitato assieme al grande storico Flavio Giuseppe per comunicarvi lo stato della città di Gerusalemme. La metropoli degli Ebrei è in una condizione deplorevole: la sua antica gloria non è più che un'ombra, il tempo dei re e dei profeti è svanito. Al suo posto è intervenuto un tempo di sangue e di tenebre.

Le mura che hanno resistito a tanti assalti attraverso i secoli sono il teatro di lotte spaventose e fratricide. Ci sono tre capi: Simone figlio di Giora, Eleazaro Ben Simone e Giovanni di Giscala, in parte chiamati dal popolo che pensava così di avere maggior forza contro la potenza di Roma. Il sangue scorre a fiumi nella parte alta della città, si fa uso, contro chi è in basso, di pietre e altri proiettili, ma il contingente che controlla la parte alta è bersaglio delle macchine di artiglieria piazzate a metà, catapulte, balliste, mangani e scorpioni, così potenti da colpire gli uomini di Bar Giora appostati in alto: enormi proiettili fanno così a pezzi coloro che presidiano la zona degli altari. Perfino i sacerdoti vengono massacrati e il loro sangue inonda il cortile destinato a immolare le vittime. Questo è ciò che io ho visto dalla Fortezza Antonia, come vedrebbe un uccello che si sia posato sui bastioni, ma Flavio Giuseppe vi dirà di più perché si è addentrato fra le torme dei combattenti ardenti di odio e di fanatismo.»

Giuseppe prese la parola: «Forse pensate che sarà facile per le vostre truppe avere la meglio, forse qualcuno dei presenti penserà di combattere contro dei barbari, ma credetemi, non è vero. Sono uomini che credono in ciò che fanno perché vedono ogni anno centinaia di migliaia di pellegrini giungere da ogni parte del mondo conosciuto per visitare la dimora del loro Dio, in cui credono come voi credete nei vostri.

C'è un motivo per cui Roma deve mantenere il controllo di questa terra. Solo la forza militare di Roma può impedire che i Parti arrivino al mare, che vorrebbe dire spezzare in due l'impero, cioè una catastrofe di guerre in tutto il nostro mondo, e la guerra è il peggio che possa capitare all'umanità. Pertanto questa guerra non si può evitare, ma se così stanno le cose bisogna evitare il più possibile il sangue, le torture, i massacri, le devastazioni, le distruzioni...»

Non so che esito ebbe il discorso di Flavio Giuseppe e se ottenne il suo obiettivo.

Io vidi Berenice in un angolo del pretorio e niente più.

XXII

Potrei nutrire un sentimento per la donna più bella del mondo? Sì, anche se è la cosa più proibita dell'inferno, perché un sentimento di questa forza genera felicità, e per noi la felicità significa essere distrutti, annientati. Per questo siamo stati concepiti con un semplice atto di volontà d'infinita potenza. Berenice, dove sei? Salvami e salverò te.

Vidi non molto lontano Giuseppe, e avrei tanto voluto vedere Jeshua. Ma potevo chiamare amicizia ciò che avevo provato e provavo per lui?

Lanciai una frase nella mente di Giuseppe: «Al secondo turno di guardia, al cambio della guardia. Dobbiamo vedere!».

Giuseppe si avvicinò e mi fissò negli occhi: «Vuoi vedere Gerusalemme agonizzare?».

«No. Voglio vederla battersi come una leonessa. Al secondo turno.»

«Al secondo turno!» E scomparve verso la sua tenda.

Mi avvicinai a Berenice, e come due falchi, non visti, raggiungemmo il nostro rifugio. Lei entrò dalla porta anteriore, io da quella posteriore. L'ambiente era ancora impregnato del profumo della regina e da un lato, presso la finestra, i gigli selvatici erano illuminati dalla luna. Facemmo l'amore avidamente come quando due amanti temono di non incontrarsi mai più. Ero a tal punto di emozione che non potevo nemmeno spiegarlo a me stesso. Ma quando ci sdraiammo esausti parlammo a lungo, e avrei voluto restare al suo fianco per giorni e notti nella luce del giorno e in quella della luna.

«Ti adagerai al suo fianco quando lo raggiungerai?»

«Sì. Lui tornerà dall'accampamento e quando torna stremato vuole trovarmi.»

Restammo in silenzio a coprirci di carezze poi le rivolsi la parola: «Tu credi nel Dio d'Israele?».

«È il dio dei nostri padri» rispose Berenice. «E alberga nel suo immenso Tempio. Vieni, guarda.»

Volle che contemplassi al suo fianco il Tempio, che si ergeva coperto di marmi bianchi che riflettevano la luce della luna come fossero d'argento polito, e l'oro che faceva sfavillare la grande porta che dava nella spianata dell'altare, le guglie e le torri.

«Faresti qualcosa per il tuo paese, e per il tuo Dio?»

«Lo farei. Ma tu perché vuoi entrare in questa guerra?»

«Perché solo tu puoi convincere Tito a risparmiare il tempio.»

Si volse verso di me e la luna la trasformò in una dea.

«Penso che il Tempio debba essere salvato a qualunque costo» continuai. «Non è solo una questione di religione, è civiltà, sentimenti, come quelli che provo per te; una civiltà che ha conosciuto le navi fenicie che navigarono attorno all'Africa, quelle cartaginesi che raggiunsero un'isola grandissima al di là dell'oceano, quella del re Salomone, della sua infinita sapienza e del suo Tempio, quella del regno di Saba: io ero presente in un certo modo a questi eventi, anche solo in visione, in sogno. Testimoniare anche solo nella mia mente la distruzione di un monumento unico al mondo sarebbe come diventare cieco, sordo e muto.

Domani, dunque, alle prime luci del giorno piomberò dalla Fortezza Antonia in mezzo alla lotta cruenta che scoppierà fra le tre fazioni che si contendono la spianata e il pendio del monte Moriah e vedrò che cosa potrò fare e cosa avrai potuto fare tu.»

Berenice mi sorrise: «Da quando ti ho incontrato, da quando ho fatto l'amore con te e tu sei entrato nel mio corpo e nel mio animo e nel mio respiro, e io nel tuo, tutto è cambiato completamente. Come sei riuscito a far sì che ci troviamo qui, in questo luogo meraviglioso e magico?».

«Non posso rispondere alla tua domanda, ma forse sarai tu a capire, quando sarà il momento.»

«Il mio desiderio di trascorrere questa notte di luna con te è incommensurabile, ma Tito mi farebbe cercare dappertutto, in ogni angolo, in ogni edificio e in ogni capanna, in ogni anfratto di queste rupi; andrebbe fuori di senno e quando mi avesse trovata mi farebbe tante domande a cui non potrei rispondere, e non potrei più fare ciò che mi hai chiesto, e che io stessa vorrei fare: salvare il Tempio più grande che esista al mondo. Sono giudea e amo immensamente questo mio popolo eroico e martoriato e questo mio paese, e se riuscissimo anche per poco nel nostro intento sarei tanto felice, perché avrei dato un senso a questo mio corpo irresistibile e a questa mia inutile vita.»

Quelle parole mi fecero tremare di commozione, sentimento che non avevo mai provato nella mia esistenza, ma anche di terrore, perché su di me pendeva la condanna crudele dell'estinzione, dello sprofondare nel nulla. E provavo infinita paura del sentimento che cresceva smisurato in me: quando fosse giunto al culmine e avessi inesorabilmente dovuto privarmene sarei stato straziato dal più grande dolore che l'ira dell'Altissimo potesse mai scagliare contro di me.

Berenice contemplava rapita il Tempio rischiarato dalla luna, e all'improvviso si gettò fra le mie braccia con tale spasmodica brama che sembrò voler fare di due corpi uno solo, ardente di passione.

Si udirono nitriti e sbuffi, e vicino a un sicomoro apparvero due cavalli, come la prima volta: presi per mano Berenice fino ai cavalli legati al tronco dell'albero e l'aiutai a saltare in groppa al più potente dei due, di colore scuro, poi montai io sull'altro, di mantello completamente nero, e subito lo incitai con colpi di tallone. La luce lunare ci guidò lungo il sentiero fino alla strada che conduceva a Gerusalemme. Le lanciai un sommesso richiamo: «Guarda alla tua destra! È Tito, alla testa dei suoi pretoriani, e dietro c'è la

Decima legione: posso distinguere l'aquila, il legato con l'armatura uniforme, gli alti ufficiali e i centurioni. Hanno subito una dura disfatta».

Potevo percepire il loro umore e il morale prostrato di chi ha esaurito tutte le forze del corpo e dell'animo. Mi volsi verso Berenice, bionda sul suo cavallo scuro: «Tito sta tornando, e di pessimo umore, vai! Vai più veloce che puoi. Fa' in modo che ti trovi premurosa e affettuosa, splendida più che mai. Se vorrai dedicarmi qualcuno dei tuoi pensieri sappi che mi mancherai di un sentimento acuto e tagliente, ma udrò la tua voce come la sento ora e per me sarà ogni volta un raggio di sole, e se vuoi potrai sentire la mia. E ora vola, amore mio, vola!».

Ripartii a velocità moderata, arrivai al posto di controllo, e i due legionari di guardia incrociarono i *pila*. Balzai a terra e udii la voce di Berenice: «Ti sento molto vicino. Mi fa male non vederti».

«Lo so, anche a me fa male.»

Un'altra voce alle mie spalle; appena in tempo: Flavio Giuseppe.

«So che la giornata è stata difficile.»

«Difficile è dire poco» rispose Giuseppe. «I tre capi delle fazioni Simone Bar Giora, Giovanni di Giscala, ed Eleazaro Ben Simone, i cui uomini si erano massacrati gli uni gli altri fino a poco tempo fa, visto l'arrivo di Tito con le sue legioni potrebbero unirsi in un unico blocco e diventare molto pericolosi. La loro guerra intestina li ha provvisti di armi anche pesanti. Per ora si uccidono fra di loro, ma i miei informatori pensano che presto le tre fazioni si metteranno d'accordo per fare fronte comune contro i Romani. C'è anche chi pensa che bisogna trattare con i Romani perché è l'unica possibilità di evitare la distruzione della città, ma certamente non saranno ascoltati e verranno eliminati.»

«Andrò io, questa notte» risposi, «e rimarrò fino a quando avrò capito che cosa succede.»

«Stai attento» si raccomandò Flavio Giuseppe, «la situazione da quelle parti è estremamente pericolosa.

Ci salutammo e mi allontanai verso il bosco che contornava la base della collina da cui ero da poco disceso, e fischiai. Il mio stallone nero, forse creatura d'inferno, arrivò subito. In meno di un'ora ero alla rampa che portava alla spianata del Tempio.

Ci ero salito con Jeshua in preda a una grande emozione, e da quel momento non l'avevo visto più. Non potevo darmi ragione della sua sparizione, né spiegarmi il viaggio che avevamo fatto insieme, e non sapevo che cosa mi aspettasse quando la mia avventura fosse compiuta. Le mie notti erano infestate da incubi atroci, ed ero convinto che questi mi fossero inviati come feroce castigo per i miei sentimenti. Ma Jeshua come poteva essere indifferente al martirio di Gerusalemme? Mi parve di udire la sua risposta: «La Gerusalemme che vedi non è quella che esiste ora, e quella che abbiamo lasciato dietro le nostre spalle non esiste più».

Giunsi alla spianata a notte fonda, e ciò che vidi era spaventoso: corpi abbandonati gli uni sugli altri, sangue raggrumato dovunque; immagini che già avevo visto il giorno in cui un sicario aveva tagliato la gola al Sommo Sacerdote.

Mi guardai intorno: qualche braciere e qualche torcia ancora accesa spargevano un poco di luce rossastra, e i volti distorti dei cadaveri ispiravano solo orrore. Nessuna pietà. Eppure qualche sagoma scura si aggirava sulla spianata in cerca di qualcuno che gli era stato caro: un marito, un fratello, un figlio. Qua e là si levava un pianto, un gemito, singhiozzi graffiavano i battenti della grande porta dorata.

Mi trovai, quasi senza accorgermene, il mio cavallo nero immobile accanto a me. Cercavo un punto dove coricarmi: il corpo che indossavo era stanco ma non trovavo un posto dove farlo riposare. Infine mi fermai e restai immobile sul cavallo nero, nella spianata nera. Qualche tempo dopo vidi il passaggio di una torcia e l'ombra che si stampava sul muro sembrava quella di una statua equestre.

Provai anche a dormire in groppa al cavallo ma senza riuscirvi. Solo dopo qualche tentativo reclinai il capo, ma per poco: mi svegliai pienamente all'alba, quando il sole irrorò di luce la spianata. Cominciai a udire rumori e poi voci umane; cigolii di legni, di ruote sui mozzi. Su tutti i rumori e i richiami s'innalzò la voce dello *shofar*, corno di ariete, memoria dei primi tempi della conquista della Terra promessa. Esplosero le urla che chiamavano all'attacco: quelli di Giovanni di Giscala, quelli di Eleazaro Ben Simone, quelli di Simone Bar Giora. Era quello l'accordo? Era questa l'unione delle forze? Mi sentii venir meno, ma solo per pochi attimi: subito dovetti combattere. Con chi? Con tutti e dovunque: forse il mio corpo sarebbe stato distrutto entro poco e il solo pensiero mi faceva disperare. Se il mio corpo fosse diventato un cadavere, Berenice non mi avrebbe più riconosciuto. E, mi chiedevo, anche lei sarebbe stata senza più corpo?

Il clangore delle armi era simile a quello delle tempeste. Presi la panoplia di un caduto, la indossai e mi gettai nella mischia. Subito mi parve di essere diventato differente, coinvolto in quella lotta feroce, e pensavo a come avrei potuto spegnerla, ma ciò che improvvisamente vidi mi fermò il cuore: decine di demoni imperversavano nella spianata, colpivano ferocemente tagliando, squartando, decapitando. Le urla erano acute, taglienti, erano strida come di animali, insopportabili per un essere umano. Mi chiedevo, mentre colpivo e tagliavo con tutta la forza di cui disponevo, dove fosse Jeshua. I combattenti non avrebbero mai capito che quelli erano demoni; non avevano niente delle sembianze tradizionali: i piedi bifidi, occhiaie arrossate, code, corna. Se uno di loro veniva ferito il sangue zampillava come da una fontana, tanto che copriva tutti quelli che erano dintorno e nessuno poteva distinguersi da un altro. Vomitavano la stessa carne umana su cui si erano gettati come belve. Poi tutto cambiò: suonarono le trombe di allarme, e dalla parte della valle delle Spine, accompagnate dal ritmato rumore dei tamburi, apparvero le legioni che uscivano dagli accampamenti.

I tre comandanti decisero allora un'alleanza e decretarono che tutti coloro i quali avevano proposto di fare pace con i Romani fossero passati per le armi immediatamente. Fu una nuova carneficina, dopo di che cominciarono gli schieramenti di tutti gli armamenti più micidiali. Giovanni aveva dei mangani che potevano lanciare un proiettile da tre talenti a due stadi di distanza.

Era accaduto ciò che nessuno fra i Romani avrebbe potuto immaginare. Tito era stato tagliato fuori dalla mischia dai suoi, ma si era ugualmente convinto che lui in persona avrebbe dovuto guidare gli attacchi. I suoi uomini, vedendolo combattere con tanto coraggio, senza armatura e senza elmo, si lanciarono al suo fianco per proteggerlo e combatterono con tutto il coraggio e la foga necessari per vincere. Tito si batté come un leone guadagnandosi la stima dei suoi soldati, ma nessuno poteva dimenticare che in un certo momento della giornata il comandante supremo, figlio dell'imperatore dei Romani, aveva rischiato la sconfitta. L'armata del più grande impero del mondo aveva rischiato di essere battuta dall'esercito di un piccolo regno, senza disciplina e con armature raffazzonate. Cosa sarebbe accaduto quando avessero tentato di espugnare la cittadella del Tempio e la triplice cinta di mura con bastioni larghi fino a sedici cubiti?

Ma quella sera si fece comunque festa al campo, perché il comandante alla fine aveva vinto la giornata.

Raggiunsi la mia tenda e mi concentrai profondamente nel mio silenzio e nel mio pensiero. Dovevo a ogni costo raggiungere Jeshua, dovunque fosse, e mentre formulavo questo pensiero, un pensiero che nessuno di noi può costruire perché non ne ha gli strumenti, Flavio Giuseppe apparve d'un tratto entrando nella mia tenda. Gli confessai il mio pensiero: nella bolgia mostruosa che si era scatenata sulla spianata solo un uomo, se pure un uomo dai poteri immensi, avrebbe potuto salvare la città e il Tempio.

«So a chi alludi» rispose Flavio Giuseppe. «Ma il Jeshua a cui pensi non esiste più. Ho provato io stesso a cercarne traccia, ma non ho trovato nessuno che ci porti a lui. Sua Madre è morta, Giacomo suo fratello è stato lapidato trent'anni fa; Saulo, ora Paolo, non credo sia affidabile: in una delle sue lettere ha detto che Jeshua è apparso dopo la sua morte a cinquecento persone, un evento che non ha nessun riscontro. Stefano è stato lapidato e mentre tutti gli tiravano pietre lui custodiva i mantelli dei lapidatori. Di tutti gli altri, non pochi sono morti e altri sono scomparsi in paesi lontani.» «Lui può tutto» risposi. «Sa dove siamo in questo momento, ci vede e ci ascolta. Se volesse potrebbe salvare Gerusalemme e soprattutto il Tempio.»

Giuseppe non poteva sapere quanto a lungo avevo riflettuto, dopo aver convinto Jeshua a viaggiare con me; quanto avevo supplicato, implorato, ma la muta risposta era sempre stata la stessa: «Dio è il primo a rispettare le leggi che lui stesso ha creato».

Mi sono chiesto mille volte perché allora ha accettato di vedere il martirio di Gerusalemme, ma non ho mai trovato una risposta. Infine ciò che si può comprendere dal divenire di questi eventi è che tutto è nelle mani degli uomini e delle loro follie e nelle forze delle tenebre, e in cuor mio la carneficina in cui mi ero trovato sulla spianata del Tempio mi diceva che se un intervento trascendente si manifestava nelle vicende umane, l'unico era quello che avevo visto nell'orrore che imperversava e infieriva attorno al Tempio lordato di sangue.

«Non hai motivo di preoccuparti tanto» rifletté Giuseppe. «Infine la prima operazione militare sui fianchi del Moriah ha avuto un esito positivo, e si può pensare che continui così.»

«Non è detto» replicai. «Tito ha solo assaggiato che tipo di combattenti sono i Giudei.»

«So tutto dei Giudei» mi rispose Flavio Giuseppe. «Ho difeso per mesi e mesi Iotapata, la più possente roccaforte di Galilea, contro le legioni di Vespasiano: sono capaci di tutto, possono battersi fino all'ultima goccia di sangue, sopportano il dolore, la fame, la sete con indefettibile resistenza, possono togliersi la vita senza batter ciglio piuttosto che perdere la libertà. Non è per caso che al tempo degli Asmonei il regno d'Israele strinse un'alleanza con gli Spartani.»

«Molti di loro però» continuai «sono stremati: non ce la fanno più a sostenere questa guerra: sono coraggiosi ma perdono i loro figli, i fratelli: disperati come sono confidano in Dio perché non hanno altri a cui rivolgersi. Sarebbero pronti a trattare con i Romani... come hai fatto tu.»

Giuseppe aggrottò la fronte: «Sì, anche io trattai con loro, e lo farei ancora adesso. Quello che hai visto è solo fanatismo... Parlami di Berenice».

«La vedrò fra poco.»

Giuseppe mi si avvicinò: «Nei tuoi occhi brillano fiamme: che cosa ti è successo?».

«Ho visto l'inferno.»

«Ti credo» rispose. «Ma vorrei sapere che cosa esattamente hai visto e dove.»

«Tu mi confideresti il teorema per cui alla fine del getto delle sorti, a Iotapata, solo tu saresti scampato alla morte?»

«No, per il momento.»

«Lo stesso vale per me.»

Sapevo che Tito avrebbe convocato lo stato maggiore, a cui Berenice non avrebbe preso parte per nessun motivo. Il mio cavallo nero mi aspettava all'inizio del sentiero e sbuffò e nitrì come se mi avesse riconosciuto. Mi trovai al rifugio sulla collina in un attimo, certo che Berenice avesse ricevuto l'ultimo messaggio.

Un lungo bacio ardente mi accolse, ma io cercai di resistere alla sua seduzione: «Hai novità da riferirmi? Temo che la situazione stia precipitando. Hai parlato con Tito nel modo che ti avevo suggerito?».

Berenice tacque per breve tempo, poi disse: «Tito è molto preso dagli eventi ed è rimasto colpito dalla formidabile forza del primo attacco dei combattenti giudei tra la seconda e terza cinta delle mura. Lo stato maggiore delle legioni non potrà non prendere in considerazione la resistenza durissima che i combattenti opporranno sulla cinta muraria che protegge il Tempio, e la risposta delle legioni non dovrà essere da meno. Come si potrà impedire che si usi il fuoco? E poi come si potrà impedire che il fuoco aggredisca il Santuario?».

Non seppi cosa rispondere, e non posso tacere quanto subissi la potenza della sua seduzione anche in quel momento così arduo e tormentato.

«Non c'è dunque speranza?» domandai.

«Non lo so» disse, ed entrò.

Poco dopo la sua voce risuonò dall'interno, e io non ebbi la forza di non rispondere.

Mi apparve nuda sdraiata sul letto e con le braccia aperte. «Potrebbe resistere Tito, che si dice perdutamente preso da te?» le domandai.

«Sdraiati con me» disse, «fammi sentire la tua potenza e ti dirò ciò che desideri sapere.»

Non potevo rifiutarmi, benché dentro di me ancora infuriasse la bolgia demoniaca cui avevo assistito sulla spianata, che ancora mi sconvolgeva, perché non potevo comprendere che cosa stesse succedendo nel regno delle tenebre e quali fossero i piani dei neri spiriti della notte. Mi persi nel suo corpo divino, e solo quando la vidi esausta le chiesi se ci fosse ancora una via di scampo per le nostre intenzioni.

«Farò di tutto» disse, «e forse di più, benché mi sembri impossibile convincere Tito a promettere sulla mia testa, sul mio ventre, sul mio seno (e quelle parole furono colpi di un sicario affondati nel mio petto), che risparmierà il Tempio degli antenati, e di tutti coloro che vengono da ogni parte del mondo a incontrare il dio degli eserciti.»

Un bacio rovente fu il sigillo di questo incontro segreto. Subito dopo accompagnai Berenice al campo.

Di questo incontro riferii poco dopo a Flavio Giuseppe, in un angolo scuro del *castrum*, e parve, se non soddisfatto, in parte sollevato.

«Ma ricorda» concluse, «l'unico che potrebbe risolvere questa immane catastrofe è Jeshua, se è vero ciò che mi hai detto. Le tue parole in parte le ho conservate e appariranno in un passo delle mie storie. Trovalo, se puoi.»

«Quando sarà il momento e il luogo lo troverò. In Galilea.»

XXIII

Tito convocò lo stato maggiore nella tenda pretoria al secondo turno di guardia. Una benda al braccio sinistro e un graffio abbastanza profondo alla spalla confermavano che era entrato nella mischia senza corazza e senza elmo.

All'ordine del giorno c'era la valutazione delle forze in campo, sia per le legioni romane, sia per i ribelli che ancora controllavano la parte alta della montagna del Tempio, ma soprattutto l'enorme pressione esercitata dai Giudei contro le legioni. La Fretensis non aveva ancora ultimato il campo e quindi durante la ritirata verso l'opera incompiuta aveva rischiato l'annientamento.

«Li ho visti bene i Giudei infuriati scagliarsi contro le linee romane» disse Giuseppe. «Erano belve feroci, pensavano ormai di poter vincere e di travolgere un'intera legione.»

Dunque Tito volle riassumere lo stato delle sue forze.

Erano presenti i legati della XII Fulminata, della XV Apollinaris, della V Macedonica e della X Fretensis. Le legioni erano arrivate da diverse direzioni e da diverse province. Alla testa delle coorti avute da altre legioni c'erano tribuni militari e prefetti come comandanti delle *alae* di cavalleria o di ausiliari, e inoltre i centurioni primi pili che per la loro esperienza erano ammessi e ascoltati nello stato maggiore. In più si erano arruolati dei mercenari.

Inutilmente il mio sguardo vagava alla ricerca di Berenice, di cui Tito doveva essere sufficientemente sicuro per non tenerla per il collare. Intanto Flavio Giuseppe mi aveva raggiunto recando un voluminoso rotolo di cui, sul momento, non sapevo nulla, ma che Giuseppe mi mostrò subito, conducendomi in un ambiente appartato e illuminato da alcune lucerne.

Era un grafico che rappresentava le tre cinte di mura che circondavano la cittadella su cui si ergeva il Tempio con il suo Sancta Sanctorum. Il suo dito indice percorreva la pergamena che rappresentava tutti gli edifici più importanti; in quel momento era puntato sulla torre di Mariamne, la seconda moglie di Erode detto il Grande, nobile, altera e bella da morire.

Né io né Giuseppe ci eravamo accorti che qualcuno era dietro di noi. Una voce subito riconosciuta risuonò alle nostre spalle, quella di Berenice: «Avrei tanto desiderato essere come lei».

«Non ti capisco» risposi volgendomi alla fonte di quell'armonia.

«Nemmeno io» replicò Giuseppe.

«Fu amata oltre ogni limite» disse Berenice, «oltre la vita e oltre la morte. Erode era a tal punto innamorato di lei che, saputo che c'erano delle congiure in atto contro di lui, e non potendo sopportare il pensiero che dopo la sua morte qualcun altro l'avrebbe posseduta, la uccise. Poi impazzì dal dolore e per sette mesi non fece che piangere e invocare il suo nome per i corridoi e le sale del suo palazzo.»

Pensai che le sue parole fossero sincere e che sentisse desiderio di un amore capace di andare oltre ogni limite, e sentivo di poter essere colui che poteva darle quell'amore. Io ero più di Tito, e glielo avrei dimostrato.

Sembrò che Berenice avesse letto nel mio pensiero. Mi fissò con uno sguardo profondo e uscì.

Quando sarei andato alla ricerca di Jeshua in Galilea? Quando avrei potuto parlargli di quanto stava accadendo? Giuseppe si volse verso di me: «A cosa stai pensando?».

«Ti ho detto che ho visto l'inferno, e tu l'hai letto nel mio sguardo, ma ciò che mi sconvolge è il perché. Ho visto con questi stessi occhi il triarca arcangelo Raphael quarant'anni fa e ho visto poco tempo fa demoni imperversare sulla spianata del Tempio. Ti sembra qualcosa che potremmo comprendere con le nostre menti? Da quando sono su questa terra mai avevo visto questa commistione spaventosa di tenebra e luce.

Vi sono segnali incontrovertibili: un uomo – se pure è stato un uomo, come hai intenzione di scrivere se ho ben capito – è apparso improvvisamente dal mistero; ha percorso la Galilea, la Traconitide, la Pentapoli, la Giudea e la Samaria predicando, guarendo ciechi, lebbrosi, paralitici, risuscitando un morto. In breve tempo è stato giudicato dal Sinedrio, poi dal tribunale romano di Ponzio Pilato, e condannato a morte per crocefissione. Eppure io l'ho visto camminare con me fino all'ingresso degli Inferi. E da ultimo ho visto e riconosciuto demoni furoreggiare sulla spianata del Tempio. La Città Santa è cinta d'assedio e la casa dell'Altissimo è minacciata di distruzione. Qualcosa di enorme sta per accadere. Capisco, Giuseppe, che quello che ti ho detto possa suonare alla tua mente come assurdo, ma hai almeno una tua spiegazione di tutto questo?»

Giuseppe chinò il capo, meditò in silenzio e poi disse: «No, non ho una spiegazione e come hai capito non so nemmeno chi tu sia veramente e a chi tu debba rispondere. Forse, se tu mi aiutassi, qualcosa riuscirei a comprendere, ma per il momento non so come spiegarti ciò che hai visto. Forse si tratta di allucinazioni, immagini create dalla tua mente. Forse è accaduto anche ai tanti che da Jeshua hanno recuperato la vista, la salute dopo la lebbra, e dopo la paralisi degli arti inferiori e tanti altri malanni. Ma non ho motivo di non credere a ciò che tu mi hai detto di lui».

«Pensi che sia possibile che tutti questi eventi siano casuali?»

«No. Non è possibile che tutti questi avvenimenti siano accidentali: sono troppi e troppo importanti. Tu lo hai incontrato dopo la sua morte. Trovalo: non deve essere per te tanto difficile. Difficile è capire la sua persona. Ho riflettuto tanto, ma sono arrivato a pensare che egli sia un mistero anche per se stesso. Cerca di capire» proseguì Giuseppe «se il nostro progetto procede e se possiamo sperare di condurlo a compimento.»

«Berenice è una persona di grande intelligenza e sta facendo il possibile per convincere Tito.»

«Ho l'impressione che ti sia innamorato di lei... Tito non deve distrarsi, è in una situazione difficilissima.»

«Non sono in condizione di distrarmi nemmeno io, e non posso spiegarti il motivo.»

«Tito non può permettersi un altro errore: vuole il completamento dei *castra* e vuole mettere a punto un'artiglieria di potenza mostruosa. Le sue tre elepoli saranno le macchine più grandi e potenti che si siano mai viste su questa terra. Poco tempo fa mi hai chiesto come potrei spiegare la serie di eventi straordinari per cui potrebbe incombere su di noi una serie di catastrofi mai viste prima. Ora immagina la distruzione del Tempio di Gerusalemme!»

«La immagino e questo mi prostra nell'animo e nel corpo. Penso ormai che gli eventi che ti ho ricordato siano prodromi di questo cataclisma. Ricordo una frase di Jeshua che diceva: "Distruggete questo tempio e io lo ricostruirò in tre giorni".»

«Vuoi dire» domandò Giuseppe «che sarà lui a salvare il Tempio?»

«Se vuole, certamente: lui può tutto. Ma è meglio che il Tempio sia salvo senza essere prima devastato.»

Tacqui e pensai a incontrare Berenice quella sera, o quella notte. Era sempre la mia ossessione.

Giuseppe sembrò aver letto nei miei pensieri quando disse: «Si unì in matrimonio con suo fratello Agrippa in una unione depravata, guasta e pervertita». Poi si congedò e tornò verso il pretorio dove era in corso la riunione di stato maggiore.

Giuseppe prese la parola su invito di Tito, e con il suo discorso i presenti capirono che, dopo una quantità di lotte feroci fra le fazioni, le due rimaste in campo dopo la cattura di Eleazaro avevano finalmente deciso di allearsi e fare fronte unico contro il comune nemico, ossia i Romani. Tito fece un'accurata disamina delle artiglierie dei Giudei e delle proprie: «Queste dovranno colpire i difensori e, soprattutto, dovranno battere con gli arieti le mura difensive di Gerusalemme».

Io ero presente e quando finalmente uscii, con tutta la forza del mio atto di volontà chiamai Jeshua...

Non lo vidi come le altre volte che l'avevo incontrato e parlato con lui. Eppure udii la sua voce che diceva a poca distanza da me: «Abbandona Berenice e forse continuerai a esistere, forse la luce e la tenebra combatteranno per trasformare la pietra in acciaio».

La voce si spense e un'ombra attraversò il campo.

«Aspetta!» gridai, ma nulla accadde. Si udì soltanto il galoppo di due cavalli, uno pomellato e uno nero. Salimmo, io e Berenice, al nostro rifugio. Ci affrontammo come belve l'uno contro l'altra. La investii, inondai il suo corpo con tutte le danze che Eros mi aveva insegnato. Cantai per lei canzoni facendo l'amore e proseguimmo finché non fummo esausti.

«Vai, ora» dissi, sicuro che Tito non avrebbe resistito ad alcuna delle richieste di Berenice. «Ti sta cercando. E fai che non capisca: non uno sguardo, non una carezza diversa dal solito. Un nulla e sei morta. Neppure io potrei salvarti. All'alba di domani, appena sarà partito, vieni da me.»

Mentre ci incontravamo, Tito usciva dal pretorio, e subito i suoi ufficiali lo circondarono per salutarlo e per ascoltare le ultime sue raccomandazioni.

Poi ciascuno di loro raggiunse i reparti. Al centro della colonna avanzavano le macchine da guerra: catapulte e balliste di enorme potenza. Alcune, come già Giuseppe mi aveva descritto, avevano capacità di scagliare massi di pietra bianca da tre talenti a una distanza di due stadi.

Si poteva capire se arrivava il masso perché quando fendeva la notte sibilava acuto attraversando l'aria ancora scura. Qualcuno gridava in ebraico: «Arriva il bambino!», perché il masso era bianco, e così i ribelli erano avvertiti. Giuseppe disse: «Hanno ancora voglia di scherzare» e consigliò di dipingere i massi di nero.

Nel frattempo Giovanni di Giscala, ormai dichiaratamente alleato di Simone, cercava di mettere in azione la sua artiglieria, ma non ci riuscì finché non arrivarono alcuni disertori romani a far funzionare le macchine. Tito diede ordine di far avanzare gli arieti contro la seconda cinta delle mura. Alcuni erano manovrati a terra, altri dall'interno delle elepoli, da più di mille uomini.

Quella notte Tito non tornò al campo di base sotto le mura, e diede lo stesso ordine a tutto il proprio campo, ma cessò di battere le mura. Visto che Tito restava al campo, Giuseppe decise di restare anche lui, pur mandandomi un messaggio in latino:

"Berenice rimane con il comandante: ti farò sapere."

Nei giorni successivi Tito cominciò a martellare le mura con gli arieti, e ordinò di accostare le elepoli con arieti ancora più potenti che potevano colpire dai vari livelli e danneggiare sempre di più le mura, ma i ribelli aspettarono che venisse sera e che i legionari tornassero ai loro accampamenti, offrendo così il fianco ai nemici che presero ad attaccarli in massa, con un certo successo. Colpirono non pochi dei legionari romani e diedero fuoco ad alcune macchine e a una elepoli. A stento si domarono le fiamme che avrebbero potuto distruggere tutte le macchine e le palizzate e lasciare campo libero agli uomini di Giovanni di Giscala e di Simone. Durante la notte accadde una catastrofe: una delle tre elepoli crollò con immenso fragore senza apparente causa. Gli ufficiali, pensando che si trattasse di sabotaggio degli uomini di Giovanni e di Simone, e confusi dall'oscurità, fecero passare a tutti una parola d'ordine per distinguere i Romani dai ribelli.

Fu Tito, con i suoi legionari arrivati da Alessandria, che guidò il contrattacco uccidendo di sua mano dodici avversari.

Finalmente Tito ebbe ragione dei Giudei e quando gli portarono davanti un prigioniero diede ordine che fosse crocefisso per spaventare tutti gli altri. In realtà la vista di un uomo crocefisso, per quanto atroce, era abbastanza comune sia per i Romani che per i Giudei.

Giuseppe dovette aver pensato che se si fosse trattenuto

nello stesso accampamento non avrebbe mai chiuso occhio. Tornò dunque stremato a tarda notte.

«E Berenice?» gli chiesi.

«Passerà la notte con Tito: ti ho mandato un messaggio» rispose impassibile. «Ma non escluderei che domani mattina rientri in questo campo.»

Mi alzai che era ancora scuro. Solo un soffio di luce appena percettibile sul deserto annunciava l'arrivo dell'alba. Il mio cavallo apparve come d'incanto, immobile, al mio fianco. Gli passai la mano sul dorso e sui fianchi e lui rimaneva fermo, nero sullo sfondo della notte a occidente. A volte pensavo che fosse Belial o Ataras o addirittura Satana. Gli eventi in atto giustificavano in pieno la presenza del principe dei demoni ai piedi del Moriah.

D'improvviso raspò il suolo con lo zoccolo sinistro e nitrì, roco; sbuffò: sentiva qualcosa.

Udii il rumore lontano di un galoppo e, mentre l'alba ormai si mostrava agli spalti della Fortezza Antonia e ai ballatoi della torre del Vittorioso, la più possente dell'intera cinta delle mura, apparve, remoto, un cavallo di chiaro mantello che sembrava rotolare lungo il pendio di una collina in una nube bianca di polvere.

Berenice?

In poco tempo il suo pomellato mi fu di fronte e lei mi apparve vestita del solo chitonisco alla greca, mostrando le cosce, e balzò a terra.

Mi sorrise evitando però il mio abbraccio. C'era ormai troppa luce: «Tito mi ha promesso che non distruggerà il Tempio di Israele».

«Ne sei certa?»

«Sì. Mi ha dato la sua parola.»

«Come mi hai trovato?»

«Sapevo che mi avresti aspettato qui.»

«Perché?»

«Perché è qui che crescono i gigli selvatici.»

Era seducente più che mai, ma io pensavo che aveva trascorso la notte con Tito, e le immagini che si affacciavano

alla mia mente di lei nuda fra le sue braccia mi sconvolge-
vano. I miei stessi sentimenti mi straziavano. Avrei voluto
gridare, forse anche piangere, ma non era giusto. Non avevo su di lei alcun diritto e in fondo aveva assolto il compito
che le avevo affidato d'accordo con Giuseppe, avevo goduto
di lei fino in fondo e lei aveva soddisfatto ogni mia voglia,
anche le più oscene e lascive. Io, creatura d'inferno, avevo
assaporato fra le sue labbra e le sue cosce un paradiso che
non avevo mai conosciuto.

Lesse nei miei occhi ciò che provavo per lei.

«Portami nel nostro rifugio» disse.

XXIV

Più volte nella mattinata e nel primo pomeriggio domandai a Berenice se fosse certa di quello che Tito le aveva detto, e cioè se la promessa di risparmiare il Tempio fosse affidabile.

«Per mia natura» continuai «non mi fido di nessuno, soprattutto quando sono in gioco il potere e il piacere dell'amore. Chiunque fra gli uomini venderebbe la pelle della madre sia per l'uno che per l'altro. E qui l'uno e l'altro sono presenti al massimo livello. Il gioco è di conquistare il più grande impero esistente; quanto all'amore, non ho mai visto una donna come te, nessuna così bella e affascinante, irresistibile come te, anche se queste parole, pronunciate da uno come me, quasi non hanno significato.»

«Forse tu avresti avuto più ascendente su Tito di quello che ho io» disse ironica.

«Tito sarebbe certamente interessato a me se sapesse chi sono e perché sono qui, ma mai quanto è interessato a te.»

«Erode uccise Mariamne perché gli era insopportabile il pensiero che, se fosse morto, qualcun altro si sarebbe coricato accanto a lei.»

«Lo so» risposi, «so tutto di Erode.»

«Ma non altrettanto di Tito» replicò Berenice.

«Non come te sicuramente.»

Non avrei dovuto rispondere a quel modo.

Sia io che Giuseppe dovevamo tornare al campo di fronte alla cinta delle mura, detto anche "del sicomoro" per la presenza di un albero gigantesco di quella specie. Partii sul mio cavallo mentre Giuseppe si fece portare da un carro, perché non sapeva cavalcare. Giunsi per primo e vidi che lo scontro fra le truppe di Tito e i difensori delle mura e della cittadella era in pieno svolgimento.

Tito aveva schierato gli arieti che aprirono una breccia nella prima cinta di mura, e di rincalzo le torri d'assalto, fra cui la poderosa Vittorioso, che si era distinta per la sua potenza. Tito lanciò immediatamente i suoi uomini dall'altra parte della breccia, sul terreno abbastanza vasto dove il re assiro Sennacherib più di sette secoli prima aveva tentato, senza riuscirvi, di prendere Gerusalemme. Tito fece la stessa mossa, spostando il campo fra la prima e la seconda cerchia di mura. Così facendo, però, venne a trovarsi contro Giovanni Giscala e i suoi tiratori, che presidiavano la Fortezza Antonia, così chiamata da Erode in onore del suo amico Marco Antonio.

Giuseppe arrivò sul campo di battaglia che era quasi il tramonto, in tempo comunque per assistere alla mischia furibonda fra i Giudei di Giovanni e di Simone contro i legionari romani.

Fui io a localizzarlo, vedendo il suo carro, e gli feci cenno con un drappo rosso, probabilmente caduto dalle spalle di un ufficiale colpito da una freccia o da un giavellotto.

«Come vanno le cose?» mi domandò, più tranquillo di quanto non mi aspettassi, e tuttavia coperto di polvere. Si vedeva di primo acchito che era un uomo d'arme e che aveva molto combattuto nella sua vita.

«Lo vedi da te» risposi.

Il fragore dello scontro era assordante, la polvere avvolgeva tutto, si udivano dovunque le grida e le urla dei feriti e dei moribondi, il rombo e lo schianto dei colpi d'ariete contro i muri, i sibili insopportabili dei dardi e delle saette scagliati dalle balliste e dalle catapulte. I comandanti dei reparti di artiglieria avevano piazzato gli arieti a coppie sfasate, sia a terra che sui piani delle elepoli, sicché ciascuno colpiva alternativamente la muraglia in modo da imprimere una vibrazione continua, potentissima, sempre crescente ma avvicendata, tale da farla esplodere al momento in cui raggiungesse il parossismo.

Le due parti combattenti erano da un lato la turba furente, quasi ferina, dei Giudei assetati di sangue, dall'altro le squadre romane perfette nel loro silenzio, inesorabili nel loro passo di marcia. I due eserciti collidevano l'uno contro l'altro come nella carica di un'orda di selvaggi contro un muro di calcare. Per sei giorni, escluso il sabato, Romani e Giudei si batterono furiosamente giorno e notte, fino all'ultimo respiro.

A un certo momento Tito cadde in una trappola, si trovò di nuovo in serie difficoltà, al punto che i Giudei riuscirono a spingere i Romani fuori dal secondo muro, attraverso la breccia che era costata sforzi smisurati. Ma nessuno si perse d'animo e la mischia riprese energia come un fuoco che è prossimo a spegnersi e in poco tempo riprende vigore sotto il soffio del vento. E il vento diradò la polvere che copriva la città, e così, in alto, apparve il Tempio, splendente.

Mi accorsi solo allora che Tito distava da me poco meno di due cubiti, ma non mi rivolse uno sguardo. Anche Giuseppe era poco lontano e con il mento mi fece cenno di guardare dall'altra parte: Berenice, con il suo chitonisco che scopriva molto più di quanto coprisse, era al fianco sinistro di Tito, ancora incantato dalla visione del Tempio. Berenice scosse il suo braccio sinistro e tentò di attirare la sua attenzione. Invano.

«Lascia» disse allora Berenice. «Hai promesso.»

Mi avvicinai a Giuseppe. «Sta mantenendo la sua parola» gli dissi. «Berenice sta cercando di convincerlo a non distruggere il Tempio!»

XXV

Dopo che i Romani si furono ritirati dalla spianata di Sennacherib, presero campo dall'altra parte della breccia, sempre marciando in perfetto ordine. Io mi mantenni non molto lontano da Tito e dai suoi ufficiali, abbastanza per essere visto, ma senza dare troppo nell'occhio.

Berenice mi notò e mi raggiunse a cavallo: «C'è molto movimento nel gruppo di stato maggiore, perché sembra che i ribelli non abbiano nessuna intenzione di chiudere questa guerra. Guarda: i loro proiettili arrivano quasi fino ai nostri piedi».

«Giuseppe sta arrivando! Forse ha notizie» dissi indicando il pretorio.

Giuseppe, trafelato, ci raggiunse: «Tito mi ha incaricato di trattare una pace accettabile con i Giudei!».

Rimasi senza parole per un poco. Non mi sembrava vero. Berenice parlò: «Sono sicura che riuscirai a convincerli. Non hanno scelta e poi li conosci, sei uno di loro: riuscirai a farli ragionare, ne sono certa. Diventerai l'uomo che ha salvato il Tempio».

L'abboccamento fu fissato al tramonto in una sala della Fortezza Antonia.

Giuseppe si recò all'incontro senza scorta e disarmato. Su di lui gravava comunque il sospetto di quella che ai ribelli sembrava una defezione, se non addirittura un tradimento. L'inizio della conversazione fu gelido, anche perché mancava un mediatore: tutto gravava sulle spalle di Giuseppe. Tanto più che i ribelli si consideravano ancora in battaglia, e mentre si parlava si udivano anche i colpi delle macchine da guerra che avevano in gran numero. Quaranta balliste potevano fare molto male.

Al suo ritorno Giuseppe riferì, me presente, come aveva gestito l'incontro:

«Ascoltatemi!» aveva detto ai Giudei. «Dovete ragionare. È vero che avete ottenuto dei successi sul campo mostrando tutto il vostro valore, ma i Romani sono la più grande potenza esistente sulla terra: hanno qui quattro legioni perfettamente addestrate e disciplinate. Avete combattuto sul campo contro i legionari e sapete che non potete vincere, anche perché i Romani possono chiamare qui altrettante legioni, il doppio di quelle con cui avete combattuto o il doppio del doppio. Hanno ventotto legioni a difendere i loro confini, undici flotte nel mare per garantire i rifornimenti, pezzi di ricambio per le macchine, legname per le sostituzioni e le riparazioni, mentre voi non avete nemmeno l'acqua per bere. Possono distruggere completamente la cinta delle mura, e a quel punto la breccia che hanno aperto, al confronto, sembrerà il foro di un ratto in una tavola di legno.

Se continuate questa guerra avrete perdite pesanti, migliaia di vostri guerrieri moriranno, e non solo gli uomini combattenti ma anche i vecchi, le donne e i bambini che sono innocenti e non hanno nessuna colpa. Se verrete a un negoziato di pace, i Romani rispetteranno il nostro Signore, l'Altissimo e il suo Tempio che è il simbolo della nazione. Lo stesso fanno con gli altri popoli e con le loro religioni, che rispettano e di cui rispettano i simboli e i santuari.

Non uccideranno chi ha combattuto fino a ora perché ammirano chi è valoroso, e si accontenteranno di un tributo. Ma se continuate a combattere e alla fine non riuscirete più a resistere perché non avete più armi, né cibo né acqua, sarete massacrati uno dopo l'altro. E nessuno vi ricorderà per la vostra stoltezza. Voi pensate che il Signore Adonai che dimora nel Tempio sia dalla vostra parte, e quindi di essere invincibili, ma non è così. Ho visto un uomo, Giuda di Galilea proclamato Messiah, essere crocefisso, e poi sono stati crocefissi i due figli davanti ai suoi occhi. Ho visto una foresta di duemila croci nei pressi di Sefforis in Galilea. È questo che volete? Cesare vi vuole vivi e liberi: quale altro nemico farebbe questo?

Considerate che la città è stremata, gli abitanti sono tormentati dalla fame e mancano di acqua: sono disperati. Io ho combattuto per difendere la città di Iotapata, in Galilea, fino all'ultimo respiro, ma alla fine ho negoziato cercando di salvare la vita di tutti i resistenti, che erano già pronti per un suicidio di massa piuttosto che diventare schiavi dei Romani. Cesare Vespasiano, non ancora imperatore, mi assicurò la vita e mi portò a Roma con lui, e ora vi posso dire come sono veramente i Romani, perché li conosco come conosco voi.

Riflettete, vi prego: nel tempo in cui voi combattevate gli uni contro gli altri avete fatto del Tempio del nostro Signore Adonai un mattatoio. Avete profanato il luogo più sacro sulla terra e sperate che il Signore Adonai combatta al vostro fianco?

Se non mi ascoltate la nostra Gerusalemme sarà come la descriveva il profeta Geremia quando al tempo di Nabucodonosor piangeva sui bambini che perivano di inedia nelle piazze della città.»

Giuseppe ebbe da me e da Berenice quasi un applauso e pensammo che i capi dei ribelli, se ancora avevano senno, avrebbero dovuto accettare le proposte sue e di Tito. Pensammo che lo stesso Tito, una volta occupata la parte alta e soprattutto la Fortezza Antonia, avrebbe avuto nelle mani il Tempio e non avrebbe permesso a nessuno di profanarlo, né di danneggiarlo per nessun motivo. Berenice era raggiante: aveva ottenuto il giusto e il bene per il suo popolo che era sull'orlo della catastrofe.

Purtroppo ci eravamo sbagliati. Giovanni di Giscala, Simone Bar Giora e gli altri non avevano pensato di prendere in considerazione una sola raccomandazione di quelle che aveva proposto Giuseppe, decisi a correre dietro al loro folle eroismo.

Gli scontri ripresero sempre più feroci.

All'interno della cinta muraria mancavano il pane e l'acqua, e gli adulti strappavano il cibo di bocca alle loro mogli, e queste addirittura ai bambini. I capi si erano ridotti a spogliare il Tempio rubando oggetti d'oro e d'argento, azione sacrilega ma considerata lecita perché tesa a salvarlo. I ribelli continuavano ad attaccare i Romani ma Tito, ancora una volta, era riuscito a cacciarli indietro, dimostrando di essere migliore come soldato che come comandante supremo.

Ormai non era più questione di numero di soldati, né di armamenti, né di strategie e neppure di stratagemmi che pure i ribelli misero in atto con successo: il problema, per i difensori, con la penuria sempre maggiore di cibo e di acqua, era la fame, il flagello che colpisce inesorabilmente le città assediate di cui Giuseppe aveva avuto dura esperienza nella difesa di Iotapata.

Una donna originaria di un paesino lontano poche miglia da Gerusalemme, un tempo ricchissima e ora miserabile, fu spinta dalla follia a uccidere il figlioletto ancora lattante e a cucinarlo per nutrirsi.

Incontrai Berenice al campo principale, dove c'era il gigantesco sicomoro che avrebbe potuto dare l'ombra a mezza legione. Mi abbracciò dietro il sicomoro e mi diede un lungo bacio, profondo come un amplesso.

Non avrei voluto separarmi da lei per nessuna ragione, avrei affrontato qualunque pericolo, qualunque paura, qualunque dolore... tutte parole che non avevano significato per uno del mio genere e che tuttavia sentivo vive e potenti.

«Pensi davvero che Tito salverà il Tempio come ti ha promesso? So che nemmeno adesso il Tempio è in suo potere.»

«Non vedo perché non dovrebbe» replicò Berenice. «Mi ha confidato la motivazione per cui Roma non può lasciare il controllo di questa terra. Era già un piano strategico degli Asmonei: l'alleanza con Sparta, poi con Pompeo, poi con Marco Antonio e infine la sottomissione a Caligola, che per fortuna fu assassinato.»

«Lo so» risposi, «i Giudei non potrebbero fermare i Par-

ti se volessero arrivare al mare e l'impero romano si spezzerebbe in due.»

Berenice annuì, ma dentro di sé pensava che i Giudei, comunque, avevano fermato i Romani ai piedi delle mura di
Gerusalemme.

Giuseppe ci raggiunse con il suo carro fin sotto il sicomoro. Era sconvolto.

«Che cosa è successo?» gli domandai. «Sei ferito alla testa.»

«La mia ultima missione presso Giovanni e Simone, come
vedi, ha suscitato più ira che voglia di pace. Tito ha voluto insistere con la diplomazia per ottenere una conclusione
negoziata e mi ha mandato più volte alla Fortezza Antonia,
dove i ribelli hanno il loro quartiere generale. L'ultima volta
sono stato colpito alla testa da una pietra che per poco non
mi uccideva. Per fortuna il mio cranio si è rivelato ancora
robusto, e il medico ha dovuto solo bendarmi.

Ormai siamo ai ferri corti e temo che Tito possa esauri-
re la pazienza, e allora non si può nemmeno immaginare
cosa possa accadere. Arrivano da noi non pochi disertori
dell'esercito dei ribelli, alcuni dei quali si sono presen-
tati pelle e ossa perché non mangiavano da giorni e notti.
Quando hanno visto il cibo hanno divorato tutto con incredibile ingordigia in pochissimo tempo, e molti sono morti per indigestione.

Uno di questi disertori è stato visto mentre frugava fra i
suoi escrementi e qualcuno si è avvicinato per vedere se la
follia e la fame lo stessero inducendo a gesti inconsulti, e ha
visto che invece aveva trovato una moneta d'oro che aveva
ingoiato per salvare a quel modo i suoi risparmi. La voce si
è sparsa subito per l'accampamento ed è iniziata una caccia spietata ai disertori per sventrarli e trovare altre monete nascoste nelle loro viscere. Nemmeno a Iotapata avevo
mai visto alcunché di simile. Ringrazio il Signore Adonai
per avermi risparmiato simili orrori.»

Aveva udito, Giuseppe, ogni grido e ogni urlo, il clangore delle armi. Aveva visto la polvere che accecava, i fuochi
che incendiavano le elepoli e le palizzate, aveva sentito la

terra tremare e udito il boato delle mine che facevano crollare i terrapieni a rampa.

Tito aveva deciso di non dividere più le sue forze; voleva chiudere a qualunque costo la partita con questo popolo indomabile, e puntare decisamente e unicamente alla Fortezza Antonia e al Tempio. Fatto questo, Israele sarebbe crollato e avrebbe chiesto pietà.

Mi sentivo in una delle peggiori sedi infernali. Corsi su per la collina e pieno di furore salii alla sommità. Mi chiedevo come fosse possibile che Jeshua non aiutasse e sostenesse il suo popolo. Come poteva non porgere l'orecchio alle grida dei feriti e dei moribondi, cosa provava per le sofferenze inumane dei piccoli? Per il martirio della sua città? Per la difesa furibonda dei suoi difensori?

Sentii quelle urla dentro di me e sentii di nuovo quelle dei demoni nella notte sanguigna sulla spianata del Tempio, e non potei trattenere il mio urlo:

«JESHUAAA!»

Mi diedi a una corsa folle giù per il pendio della collina. Quando fui arrivato, sotto l'eco ancora viva del mio grido, aspettai che si spegnesse e ne udii un altro; mi volsi indietro verso la sommità. Vidi una figura che indossava una lunga veste e un cappuccio che le copriva la testa. Il misterioso personaggio attraversò la sommità dell'altura e sparì scendendo l'altro pendio.

Forse la figura misteriosa aveva udito il mio grido di aiuto?

Era venuto il giorno della resa dei conti. Se le immani macchine da guerra ricostruite demolendo intere foreste fossero state bruciate o distrutte il morale delle legioni sarebbe collassato. Tito ne era certo, ne ero certo io, ne era certa Berenice di cui ero ormai follemente innamorato, al punto che mi sarei spogliato del mio corpo umano se me lo avesse chiesto, seppure era l'unico strumento che mi permetteva di comunicare con tutti quelli che conoscevo e soprattutto di amare e di essere da lei amato, di coprirle il corpo di baci e di essere da lei follemente desiderato e quasi divorato.

Una volta, nel periodo dei più accaniti combattimenti nella zona della Fortezza Antonia, quando da ambo le parti i morti e i feriti non si contavano più e venivano consumati gli orrori più disumani, quando anche il nostro amore era al suo punto più ardente e il nostro sentimento fremeva nel nostro petto e nella nostra mente tanto che rischiavamo di farci scoprire, Berenice mi parlò e domandò: «Ascoltami, né io né Giuseppe sappiamo chi o che cosa tu sia. Ma una cosa è certa: tu non sei un comune essere umano. Sei ben altro, hai poteri straordinari: puoi spostarti fra luoghi distanti in pochi momenti; puoi far apparire i nostri cavalli dal nulla, nessuno può vincerti e nessuno può ucciderti. Perché non combatti con gli altri che vogliono salvare i luoghi santi del nostro paese?».

«Perché non mi è consentito.»

«Che significa *non è consentito*?»

«Esattamente quello che ho detto. Sono qui per un motivo preciso che però ignoro. Devo solo obbedire a ciò che mi viene detto o trasmesso. Ora cercherò di rispondere alla tua domanda: come ben sai, io e Giuseppe stiamo già facendo tutto il possibile per salvare i luoghi santi del tuo paese, anzi lo faccio solo per un luogo: il Tempio.»

Ma non c'era più spazio per le trattative e Tito aveva stabilito che non sarebbe stata concessa nessuna misericordia a chi si fosse arreso dopo aver rifiutato tutte le offerte di accordo. Troppe volte si era fidato dei supplici e altrettante volte aveva dovuto pentirsene.

Tito aveva ordinato di ricostruire tutte le macchine e tutte le strutture per raggiungere il piano su cui sorgeva la possente Fortezza Antonia, dai cui spalti i Giudei prendevano di mira con più di quaranta catapulte e balliste tutte le forze di attacco dei Romani. Una volta conquistata la fortezza, Tito avrebbe potuto di là sferrare i colpi più micidiali per minare le muraglie e fare irruzione nel cortile dove c'era lo spazio per gli addestramenti e per le riunioni dello stato maggiore.

Tito infuse forza ai suoi uomini che ormai capivano che si poteva o vincere o essere annientati. Le prime notizie parvero buone: in tre settimane tutte le strutture ossidionali si ersero possenti e gigantesche, e così pure le rampe di assalto. Non passò molto altro tempo che le grandiose elepoli furono trainate alla base della Fortezza Antonia e dai loro quattro piani sbucarono otto mostruosi arieti che subito batterono con fragore i muri della fortezza dal piano terra al quarto. Seguirono i legionari, schierati a quinconce e con la loro tradizionale protezione a testuggine. Le collisioni tra i due fronti furono esplosive: da un lato i Giudei volevano dimostrare ai Romani che impadronirsi del Tempio sarebbe stato pressoché impossibile; dall'altro ogni tentativo di sortita delle bande selvagge degli uomini di Giovanni e di Simone veniva accolto da nubi di migliaia di *pila* e dal tiro delle artiglierie leggere.

C'era posto per il coraggio di tutti, ma la morte era nascosta in ogni angolo, dietro ogni colonna e ogni pilastro, nei sottotetti e dietro i cardini delle porte colossali. La morte era l'unico esito sicuro.

XXVI

Ora non restava che l'ultima impresa: il Tempio dove ancora si officiavano i riti millenari doveva essere conquistato prima che diventasse un'altra roccaforte in cui i ribelli potessero battersi con a fianco il dio degli eserciti. Chi avrebbe potuto snidarli da quella rocca santissima? I sacerdoti avevano offerto ogni mattina e ogni vespro il sacrificio all'Altissimo. Nessuno aveva mai fatto mancare le vittime, il che con la fame crudele che imperversava nella città era una prova di eroismo.

In serata Giuseppe mi cercò, e io mi feci trovare sul monte degli ulivi, dove non nascondo che speravo di incontrare il Maestro nazareno. Io lo avevo portato in quel luogo e in quel tempo con uno scopo ben preciso, e più volte lo avevo invocato con tutta la voce e con tutta l'anima. Ammesso che io ne abbia una.

Giuseppe... che uomo! L'avevo davanti.

«Hai novità?» domandai.

«Sì.»

«Da Berenice?»

«Da lei. E non c'è di che stare allegri.»

«Allora tira fuori ciò che hai da dire.»

«Tito ha ricevuto un messaggio da suo padre.»

«Ha certamente una spia qui nell'esercito e nei campi fortificati.»

«Sì, è probabile, ma non è questo il punto. Vespasiano ha

mandato una lunga lettera al figlio con un solo corriere, che non se ne è mai staccato né per terra né per mare. La lettera ordina a Tito di demolire il Tempio...»

«Non è possibile» sbottai. «Perché mai prendere una decisione così drastica? La città sta per collassare. I Giudei si sono battuti come leoni, perché trattarli come schiavi? Roma è sempre stata generosa con i vinti; e soprattutto non li ha privati della loro religione, né delle loro tradizioni, né delle loro memorie.»

«È proprio tutto questo che Vespasiano vuole estirpare: vuole togliere ai Giudei il loro Stato, il nome della loro Città Santa, sede del loro Dio, li vuole disperdere in tutte le terre. Con la distruzione del Tempio, toglie al loro unico Dio l'unica sua dimora.»

Mentre pronunciava queste parole Giuseppe aveva gli occhi pieni di lacrime. Mi chiedevo se non rimpiangesse di aver abbandonato Iotapata, e di non essere tornato subito a Gerusalemme per difenderla fino all'ultimo respiro.

Quella stessa notte Giuseppe chiese udienza a Tito, il comandante supremo, e la ottenne, ma prima raggiunse la sommità della collina e guardò il Tempio illuminato da fuochi e da bracieri, e sentì un groppo alla gola.

Pregò: «Signore, Dio d'Israele, ascolta la mia preghiera. Stendi la tua mano sul Tempio sacro dal quale migliaia di vittime ti sono state immolate nei secoli. Salvalo, ti scongiuro; spegni la furia della guerra. Dai forza alle mie parole e fa' che la pace possa finalmente regnare».

Raggiunsi Giuseppe con due cavalli, uno per me e uno per lui, che si schermì: «Non so cavalcare».

«Certo che sai. E anche bene! Monta. E adesso lancialo al galoppo.»

La mia forza di volontà aveva avuto ragione della sua riluttanza. Avevamo nel campo un nuovo cavaliere. Lo accompagnai fino all'ingresso del pretorio nell'accampamento del sicomoro. Le guardie lo portarono fino alla sala delle udienze dove apparve, poco dopo, il comandante supremo: Tito Flavio Cesare Vespasiano.

«Come stai, Giuseppe?» gli chiese il comandante.

«Sto bene, ma sono fortemente addolorato per la condizione del mio popolo, che soffre pene inenarrabili e rischia la distruzione.»

«Hai tentato di tutto, ma invano, benché ti abbia sempre sostenuto, anche quando ti hanno aggredito e hai rischiato di morire.»

«Hai ragione, Cesare, ma ti prego di darmi un'ultima possibilità.»

«Un'altra?» chiese ancora Tito. «Non ti basta quello che hai già passato?»

«No. Devo tentare il tutto per tutto. Il mio popolo esisteva prima della fondazione di Roma, ha sconfitto il faraone d'Egitto, ha sconfitto i Filistei e i Cananei, ha respinto gli Assiri da Gerusalemme e ha costruito il primo Tempio, ha ricevuto le prime tavole delle leggi dalla mano di Dio quando Roma non era ancora nata. Ti prego, Cesare, lascia che io faccia un'ultima proposta che salvi il mio popolo con il suo Tempio a cui sono venuti milioni di fedeli da tutti i paesi del mondo a offrire sacrifici al nostro unico Dio.»

«Dimmi che cosa vuoi fare» disse Tito.

«Voglio dire loro che se si arrenderanno saranno tutti liberi, anche i capi della ribellione. Il Tempio verrà risparmiato con tutto ciò che contiene.»

«Sei molto generoso» replicò Tito «con il sangue dei miei soldati. I Giudei hanno sempre rifiutato una soluzione negoziata: il tuo è un popolo di sanguinari fanatici.»

«Il mio popolo si batte per la libertà. Tutti i popoli del mondo sono pronti a qualunque sacrificio pur di conservare la libertà. Ti prego, lascia che io faccia questa prova. Sono certo che li convincerò e vorrei convincere anche te: che vantaggio avresti a conquistare una città morta, a soggiogare il cadavere di un popolo?»

Tito chinò il capo cercando di trovare una via di uscita al dilemma che gli si presentava davanti, ma finalmente decise di lasciare mano libera a Giuseppe.

«E va bene» disse, «hai il mio permesso di dettare i termini dell'accordo.»

Giuseppe chinò a sua volta il capo e ringraziò il comandante supremo per avergli lasciato mano libera. «Non te ne pentirai» gli rispose, «e il mondo intero ti ringrazierà per aver conservato il Tempio di Gerusalemme.»

Lo aspettai presso il sicomoro con Berenice, che sembrava essere apparsa in quello stesso momento.

Giuseppe mi riferì, raggiante, che aveva pieni poteri per negoziare con i ribelli, ma io gli feci notare che la Fortezza Antonia era già in parte demolita e che questo non avrebbe facilitato le cose. Mi offrii, assieme a Berenice, e all'oscuro di Tito, di preparare l'incontro nel portico del Sinedrio.

«Mi serviranno almeno tre ore» gli dissi, «dopo di che potrai raggiungermi. Ti assicuro che sarai sotto la mia protezione.»

Giuseppe annuì: «Mi procurerò un cavallo. Voglio arrivare in tempo». Si allontanò.

Dietro il sicomoro apparvero due cavalli. Berenice e io montammo e partimmo in direzione della cittadella. Passammo fra rovine annerite dal fumo e dal fuoco e prendemmo a salire verso il luogo dove poco prima si ergeva la torre settentrionale della Fortezza Antonia. A mano a mano che raggiungevamo la spianata si apriva a noi una vista atroce: dovunque giacevano mucchi di cadaveri in putrefazione e un fetore orrendo ammorbava l'aria, tanto che a stento potevamo trattenere i conati di vomito. Ma la più parte dei cadaveri era stata gettata nel dirupo del fiume Cedron e, quando il vento spirava da oriente, il lezzo diveniva insopportabile.

Ci avvicinammo alla sede del Sinedrio.

Imbruniva.

Un gruppo di uomini, di Giovanni forse, si avvicinò a noi, o piuttosto ai nostri cavalli, e uno di loro cercò di afferrare il mio nero per le briglie, ma non aveva capito che non si trattava di una bestia da macello.

Il mio cavallo s'inalberò, poi curvò il collo, s'appoggiò sulle zampe anteriori e scalciò con i garretti. L'uomo fu scaraventato di dodici cubiti all'indietro, sanguinante dal braccio destro e dal petto.

Cominciai a parlare: «Sono qui per incarico di Ioseph ben

Mattyahu, l'uomo che ha tentato più volte di arrivare a un accordo con i vostri capi. Ioseph ha pieni poteri per concludere un accordo che tutti dovrebbero accettare. Solo un pazzo potrebbe respingerlo».

Una voce gridò «Traditore!» e nello stesso istante vidi Giuseppe irrompere a cavallo e un giavellotto fendere l'aria diretto contro di lui. Mi spostai sulla mia destra, afferrai il giavellotto a mezz'aria e lo strinsi forte nel pugno. A mia volta lo scagliai verso l'uomo che l'aveva lanciato e lo passai da parte a parte.

«Siamo una delegazione ufficiale dell'impero romano» ripresi a dire, «giunta fin qua per conferire con i vostri capi. È un'occasione che non potete perdere!»

Passò poco tempo e un paio di soldati ci raggiunsero: «Giovanni e Simone vi aspettano. Seguitemi, ma prima devo perquisirvi per vedere se siete armati». Li lasciai fare e poi, con Giuseppe, li seguimmo fino al rifugio di Giovanni di Giscala.

«Ascoltatemi bene» cominciò Giuseppe. «Chiunque si arrenda avrà il perdono del comandante generale, che significa il figlio di Vespasiano in persona e prossimo imperatore, compresi i capi delle grandi formazioni.»

«E tu pensi che ti crediamo?»

«Dovete» rispose Giuseppe. «Se credete alle mie parole e accettate le condizioni di pace salverete voi stessi, le vostre famiglie, le vostre case e soprattutto il Tempio, la dimora del nostro unico Dio.» Il grande storico, il difensore di Iotapata, era scosso dall'emozione. Capiva che quella era l'unica possibilità rimasta. «Guardate com'è ora la Fortezza Antonia! I Romani finiranno di occuparla e dopo, cosa resterà del Tempio?»

Quelle parole mi fecero tremare, e pensai cosa sarebbe stato di me: che cosa avrebbe fatto di me Belial, dietro l'ordine del Primo di tutti noi?

Mi avvicinai a Giuseppe, che usciva con me dall'incontro con gli irriducibili a testa bassa. La sua missione, a cui aveva tanto tenuto, era fallita.

«Hai detto "la dimora del nostro unico Dio".»

«L'ho detto e credo in ciò che dico.»

«Ma cosa farai se agli uomini di Giovanni e di Simone si uniranno gli zeloti per difendere il Tempio dai legionari? A che parte delle tre ti unirai?» E mi parve di vedere un'aria pervasa da un riverbero rossastro, e in quella nube inquietante l'ombra di Belial.

Quella notte Giuseppe espose a Tito un parere che non mi sarei mai aspettato: se il Tempio fosse rimasto dov'era e com'era sarebbe sempre stato il punto di riferimento per tutti i ribelli.

Tito, che ormai aveva occupato la Fortezza Antonia, pensò di demolirne una parte in modo da creare uno spazio per far passare l'esercito fino alla spianata.

Lo spazio comunque non era sufficiente per schierare le legioni, né per attaccare, né per ritirarsi. Decise quindi di selezionare una trentina di soldati per ogni centuria, i migliori, che formarono più che una legione, forte di settemila uomini tutti sceltissimi. E ne affidò il comando al legato della legione V Macedonica. Lo stato maggiore dell'esercito si riunì tutto attorno al comandante supremo, Tito, e a un certo momento, balzata a terra dal suo cavallo pomellato, apparve Berenice, nella sua armatura scintillante e vestita solo del suo chitonisco. Tutti gli alti ufficiali distolsero la vista dal loro supremo comandante per concentrarla sulla femmina dai seni coperti da coppe d'argento.

«Tu non puoi metterti alla testa dei tuoi uomini» disse a Tito il legato della Decima. «Tu devi salire sulla più alta torre della Fortezza Antonia. Da lassù, circondato dai tuoi pretoriani, vedrai i difensori del Tempio, se faranno una sortita, e i nostri che li urteranno con gli scudi, certi che tu li stai osservando.»

Nell'oscurità ormai calata sulla spianata gli zeloti, nascosti nel silenzio, aspettavano qualcosa di enorme che doveva essere sul punto di accadere. Io stesso, invisibile a Tito e ai suoi uomini, guardavo in basso. Pensavo che settemila uomini in movimento, anche se con passo leggero e guardingo, non potessero passare inosservati. E certamente qualche soffio di luce avrebbe potuto mettere in risalto qualunque altra presenza. Io stesso ero pervaso da un tremito e trattenevo il respiro, anche se nessuno poteva udirlo. Finché una voce dentro di me sospirò: «Ora, la sortita».

Vidi la colonna marciare sul varco nella base della Fortezza Antonia che Tito aveva fatto aprire. Un lievissimo chiarore della luna lucidava le curve degli scudi, le punte dei *pila*, i cinturoni. La colonna saliva la rampa e a mano a mano si avvicinava alla spianata. Gli ufficiali che stavano con Tito erano convinti che agli ingressi del Tempio non ci fossero sentinelle o, se c'erano, fossero addormentate. Si sbagliavano: esplosero centinaia, migliaia di grida di allarme e di incitamento all'assalto.

Subito dopo ci fu la sortita. Chi aveva dormito, svegliato di soprassalto, era pieno di collera e non vedeva l'ora di scontrarsi con il nemico. Lo schieramento romano, in un solo blocco, rispose all'attacco con enorme potenza per travolgere i nemici, e la collisione fu come quella di immensi marosi contro un molo di roccia.

Lo scontro si mutò subito in una mischia brutale in cui era perfino difficile riconoscere i propri compagni dagli avversari. I difensori arretravano sotto il tremendo urto delle squadre romane coperte di acciaio, poi contrattaccavano respingendo la possente formazione legionaria. A ogni mossa in avanti della legione senza nome, dagli spalti della Fortezza Antonia scoppiavano grida di applauso o, se c'era un arretramento, altre urla di incitamento. A volte sembrava di assistere a una corsa dei carri nel Circo Massimo.

Pensai che avrei rivisto i demoni come già mi era successo, ma non accadde nulla. A un certo momento ci fu soltanto il silenzio della notte. Salii su una delle torri della Fortezza Antonia: forse solo Berenice mi riconobbe. Non chiusi occhio tutta la notte e potevo distinguere ugualmente ogni singolo soldato, come era nelle mie facoltà. I legionari si erano appostati nei luoghi e nei punti più oscuri.

La prima luce dell'alba illuminò la ripresa dello scontro sempre più feroce: i Giudei irruppero nella spianata, ma il muro di scudi dei settemila legionari non cedette e le prime file scagliarono nembi di *pila* sulla turba dei combattenti. Nessuno dei due schieramenti avrebbe ceduto finché fosse rimasto in piedi uno di loro con una goccia di sangue e di sudore in corpo. Ognuno dei guerrieri giudei era determinato a uccidere tanti nemici quanti ne avesse di fronte perché il Tempio era l'anima e il corpo del popolo d'Israele.

Tito e i suoi comandanti di legione erano ancora sul baluardo della Fortezza Antonia: dal cortile dentro il Tempio giungevano ancora grida e io potevo capire le loro parole. Vidi Berenice che si accostava a Tito e capii che cosa diceva: «Il tuo piano non ha avuto esito: sai perché? Perché i Giudei hanno la certezza assoluta che il Dio di Israele combatte al loro fianco. I tuoi legionari sono i migliori soldati del mondo, ma il motivo per cui combattono non è altrettanto forte: la stima del comandante supremo, un avanzamento di grado, un aumento del compenso».

«Capisco quello che dici e forse ora capisco anche il significato della lettera che mio padre mi ha inviato. Finché esisterà questo Tempio esisterà qualcuno più potente di lui e questo non è tollerabile.»

«Nemmeno per te quindi, se è vero quello che si dice, ossia che sarai tu l'imperatore dopo la morte di tuo padre» replicò Berenice.

«E quindi che cosa dovrei fare? Mi ripugna distruggere un'opera così spettacolare, e anche tu più volte mi hai supplicato di salvare una fra le più grandi meraviglie del mondo. Non solo: in questo Tempio ha le radici la fede incrollabile dei Giudei ma anche il cristianesimo, che a Roma è una peste, una superstizione spregevole.»

Visto che lo scontro diretto fra Romani e Giudei non aveva avuto esito, Tito ricominciò a costruire le macchine da guerra. Intanto diecimila uomini avevano quasi terminato le rampe a terrapieno. Tito fece avanzare gli arieti e l'elepoli più grande e potente di cui disponeva. All'interno montarono gli arieti e cominciarono a battere il muro dalla parte occidentale, ma neppure le macchine più possenti dell'artiglieria romana erano riuscite in otto giorni a demolire quella parete, costruita con blocchi giganteschi. E non ebbe miglior esito il tentativo di abbattere le porte, enormi e incastrate nelle basi del muro.

Quando videro che non c'era modo di demolire i muri con le macchine da guerra, i legionari cercarono di salire con le scale sui tetti dei portici che delimitavano l'area su cui si ergeva il Sancta Sanctorum. Si gettavano gli scudi alle spalle per aver libere le mani. I Giudei reagirono furiosi. Pratici dei luoghi e delle strutture, salirono a loro volta e con pali biforcati spinsero le scale indietro facendo cadere molti dei Romani, che si sfracellarono al suolo. Altri legionari, saliti sul portico, colpivano con gli scudi i nemici scaraventandoli a terra e uccidendo tutti quelli che potevano.

Il fragore delle armi, le grida dei feriti e degli altri che precipitavano al suolo creavano una tempesta infernale che non lasciava capire nulla di quello che stava accadendo. Ma Tito non poteva più sopportare la vista dei suoi magnifici soldati morti o feriti e con le ossa a pezzi per le cadute.

A un tratto sembrò che la situazione cambiasse e i Giudei si diedero a correre dentro all'intercapedine fra le travature di legno del portico e quelle del soffitto. I Romani credettero che i nemici cercassero riparo e subito li inseguirono di corsa. Ma era una trappola: le travature erano state inzuppate di pece e di bitume e presero subito fuoco quando uno degli zeloti gettò all'interno una fiaccola.

I legionari gridarono l'allarme terrificati alla vista dell'incendio. Non pochi arretrarono e uscirono aprendosi la strada a colpi di spada, altri bruciarono vivi, altri ancora si gettarono sul pavimento del cortile per sfuggire alle fiamme e morirono massacrati.

Tito inorridì e gridò furibondo: «Bruciate le porte!».

Fra tutta la spaventosa panoplia delle macchine da guerra e da assedio di Tito, ne era mancata fino ad allora una sola: il fuoco!

XXVII

Le porte, di legno antico e coperto di olii preziosi, s'incendiarono con tale violenza che anche l'argento quasi subito si liquefece, e colando su altri legni, in buona parte di cedro del Libano, molto resinoso e quindi infiammabile, diffuse il fuoco che si propagò a tutti i portici che pure erano in parte di legno come le porte, gli architravi, le travature dei soffitti. Tutti gli edifici che attorniavano il Sancta Sanctorum erano in fiamme.

Forse ci sarebbe stato il modo di spegnere quell'incendio ma tutti, compresi i sacerdoti, restavano fermi, sgomenti, immobili come statue. Non potevano credere ai loro occhi. Per tutta la giornata e tutta la notte divamparono le fiamme che bruciavano tutti i portici che delimitavano i cortili dove ancora restavano gli altari e gli edifici adiacenti al Sancta Sanctorum.

Il fuoco arse ancora per tutto il giorno seguente e in parte anche la notte successiva. Io mi sentivo sconvolto e smarrito. Nonostante la mia natura ero del tutto incapace di porre rimedio a quella catastrofe. Eppure il fuoco doveva essere l'elemento naturale per me, per le fantasie che avevo viste rappresentate nelle chiese e in tanti dipinti. Sentivo la necessità di parlare con Flavio Giuseppe; avrei voluto chiedere a lui cosa avrei potuto fare in quello spaventoso frangente. Le fiamme ruggivano, il legno crepitava e scoppiava. Perché non potevo incontrare Jeshua di Nazareth? Perché non potevo usare le mie facoltà?

Vedevo a occidente lampi e udivo tuoni che deflagravano con immensi boati. Gridavo dentro e fuori di me: «Che la mia volontà faccia precipitare la pioggia, la grandine gelida possa scoppiare crollando sul cortile, che un uragano cada sul Santuario».

Come e perché mi sentivo così coinvolto in quell'immane dolore che bruciava il cuore di milioni di persone? Era quello il motivo della mia presenza a Gerusalemme assieme a Tito comandante supremo dell'esercito romano? Non avrei dovuto essere felice di tanto orrore, di tanta mattanza del genere umano? Perché non ero anche io fuoco, strepito e strazio? Forse il mio corpo mi parlava e chiedeva ciò di cui aveva bisogno? Era per me una soddisfazione che seicentomila Giudei fossero stati uccisi?

Il giorno seguente Tito ordinò che i legionari spegnessero l'incendio nei portici del Tempio e convocò lo stato maggiore con tutti i comandanti di legione per decidere che cosa fare del grande Santuario. Ci fu chi rispose che se avessero trovato grandi masse di armi all'interno si dovesse distruggerlo, in quanto non era più un tempio ma una fortezza. Se invece avessero trovato solo oggetti sacri si dovevano conservare, perché erano meravigliose opere d'arte. A quel punto Tito sciolse la riunione e ordinò ai legati e ai tribuni militari di far riposare i legionari perché riprendessero le forze.

L'indomani risalì sugli spalti della Fortezza Antonia, dopo aver dato ordine di schierare la fanteria pesante sul piazzale. I legionari trascinavano attraverso le rovine nuove macchine capaci di aspirare acqua dalla cisterna di Shiloe e di premerla attraverso tubi di tela dentro alle fistole di terracotta che di notte avevano deposto attorno al Santuario nel caso avesse preso fuoco. Forse Tito voleva costringere i Giudei a salvare a tutti i costi il loro Tempio. Ma dall'alto vide che i Giudei, all'interno del recinto dei portici, si approntavano a una sortita.

Non riuscivo a comprendere come quegli uomini potessero ancora contrattaccare i reparti romani di fanteria pesante che mantenevano sgombro il piazzale, ma la sortita dei Giudei non tardò a mostrarsi con un attacco di incredibile foga e accanimento.

La fanteria romana si distese in linea, scudo dopo scudo, e resse all'urto dei Giudei, ma Tito non voleva correre il rischio di un'altra sconfitta e mandò la cavalleria che li travolse. Il supremo comandante però non poteva più portare avanti uno scontro senza fine. Ne andava anche della sua reputazione, minata da una guerra che non riusciva a concludere. Dalla sommità della Fortezza Antonia, Tito vide che si era di nuovo acceso il combattimento e il fuoco covava ancora sotto le rovine dei portici. A volte si lasciava prendere dal pensiero che il dio dei Giudei, il dio degli eserciti, combattesse davvero al loro fianco.

Vidi alla porta della torre orientale della Fortezza Antonia Flavio Giuseppe parlare con le sentinelle e mi avvicinai. «Che succede?» gli domandai.

«Tito si è ritirato sugli spalti della Fortezza per dominare la situazione e ha dato ordine ai suoi comandanti di raccogliere tutte le forze disponibili per attaccare il Tempio domani.»

Si incamminò verso la scala.

«Allora ha mentito quando ha dichiarato di volerlo salvare» dissi.

«Non è così. Tito è sinceramente convinto che quel monumento debba essere salvato a ogni costo: sarebbe una delle perle dell'impero. E non l'ha mai visto. Immagina se potesse visitare l'interno del Tempio! Se i Giudei avessero accettato le mie proposte ora la guerra sarebbe finita, i portici sarebbero presto in restauro, riprenderebbero velocemente le attività e i commerci...»

«Sogni» dissi. «Lo sai che giorno sarà domani?»

Giuseppe chinò il capo e mi alzò gli occhi in viso. «Lo so» rispose, «un giorno triste» e le lacrime gli luccicarono negli occhi. «È il dieci di Loos, il giorno in cui i Babilonesi, al tempo del re Sedecia, saccheggiarono e incendiarono il Tempio di Salomone.» E si incamminò per le scale. Io volai su tutta la spianata guardando i fuochi delle rovine ancora ardenti, prima di fermarmi sugli spalti. Così che Giuseppe, ansimante, mi trovò appoggiato al muro del ballatoio di ronda.

«Sei sempre più veloce...» mi disse citando Omero:
ἔφθης πεζὸς ἰὼν ἢ ἐγὼ σὺν νηῒ μελαίνη
«... neanche avessi le ali.»

«In una notte come questa» risposi, «tutto può succedere.» Da sotto si cominciò a sentire vicino il passo delle legioni che arrivavano attraverso il varco che Tito aveva ordinato di aprire nella Fortezza Antonia perché i soldati potessero salire verso il piazzale. I ribelli osservarono i movimenti dei reparti dei Romani poi, quando li videro alcuni schierati e altri impegnati a spegnere il fuoco che durante la notte aveva ripreso forza, li attaccarono furiosamente.

Fino a quel momento sembrava che il fuoco stesse prendendo vigore solo dalle rovine dei portici, anche perché si era levato il vento, ma poi qualcuno notò che c'era fuoco dietro una finestra che dava all'interno di una delle adiacenze al Tempio. E il fuoco in breve tempo attaccò il Tempio e molti dei Giudei, vedendo le fiamme lambire il muro occidentale, levarono grida fortissime e strazianti, perché dopo tanti sforzi, tante vite stroncate e tanto sangue versato vedevano bruciare il Santuario che avevano cercato in tutti i modi di salvare.

Mi sentivo disperato anche io e non sapevo perché e quindi ero confuso e turbato.

Vidi a un tratto, volgendomi intorno, un giovane più alto di me, di forte corporatura, aitante, con i capelli bruni e gli occhi d'ambra, che mi fissava profondamente ma senza alcuna apparente intenzione. Poi si allontanò camminando fra i cadaveri che giacevano a mucchi sulle gradinate dei portici, incurante delle urla, dello strazio e dell'angoscia. Più tardi, forse un'ora dopo, sentii echeggiare una risata fragorosa e pensai senza dubbio che doveva essere stato il giovane aitante con gli occhi d'ambra. Fui preso da un desiderio bruciante per Berenice: avrei dato qualunque cosa per poterla stringere fra le mie braccia. Non sapevo neppure se l'avrei mai rivista.

Flavio Giuseppe sapeva che Tito aveva diramato l'ordine di spegnere il fuoco perché non andasse distrutto il Santuario, ma in realtà ciò che vidi fu che i Giudei e i Romani continuavano a combattersi come furie. Anche in quel momento il cortile dei quattro portici era coperto di cadaveri, il grande altare al centro del quadriportico a malapena si poteva distinguere sotto una montagna di corpi senza vita. La mischia riprese con un accanimento ferino, in qualunque punto del Tempio il caos era tale che nessuna delle due parti poteva capire se fosse rimasta una possibilità di spegnere l'incendio e salvare il Santuario. La possibilità esisteva, ma l'odio fra le due parti era tale da rendere impossibile metterla in pratica.

Tito, a quel punto, assieme ai suoi comandanti volle entrare nel Sancta Sanctorum per farsi almeno un'idea delle sue meraviglie, di cui tanto aveva sentito dire, prima che andassero rubate o incenerite. Entrati, forse guidati da Flavio Giuseppe, si trovarono davanti a una quantità d'oro, argento, pietre preziose, stoffe di valore inestimabile.

A quel punto nessuno, nemmeno Tito, avrebbe potuto riportare l'ordine e la disciplina. I soldati di sette legioni, ormai completamente fuori controllo, erano sguinzagliati per la città a saccheggiare, stuprare, rubare, massacrare. Gli interminabili combattimenti, le atrocità perpetrate da una parte e dall'altra erano così tremende che per nessun motivo si sarebbe potuti giungere almeno a una tregua. Non accadde nulla finché Tito e i suoi comandanti restarono all'interno del Santuario ma, una volta usciti, i generali fecero schierare le legioni perché Tito ricevesse dai soldati la *salutatio imperatoria*: il nemico era annientato. I soldati che avevano combattuto meno di un'ora prima si gettarono all'interno e massacrarono tutti quelli che trovarono vivi, anche i sacerdoti. All'esterno si vide il sangue colare come un ruscello da gradino a gradino. Il Santuario, quel che restava dei portici, gli edifici, i resti delle macchine ossidionali... tutto bruciava in un immenso, mostruoso, unico rogo.

Il frastuono era totale: le grida, le urla, l'ultimo ruggito del fuoco, il crepitare delle travi dei soffitti che scoppiavano e il lungo, solitario lamento dello Shofar, tutto si fondeva in un'unica voce: era la città intera che piangeva la propria stessa agonia.

Flavio Giuseppe e io montammo a cavallo per dirigerci al nostro campo, ma dovemmo procedere lentamente attraverso i cortili esterni, in mezzo ai tanti che cercavano di non cadere vivi in mano al nemico. Molti davanti ai nostri occhi si gettavano a terra dal portico esterno ancora non incendiato, sfracellandosi, altri si lanciavano contro le spade dei Romani trapassandosi il torace da parte a parte, altri ancora, prossimi al Tempio, sacerdoti e leviti di illustri natali, si gettavano nel fuoco; uomini, donne e bambini che si erano rifugiati sul tetto del portico morirono tutti. Poi, giunti al livello della città, aumentammo la velocità per arrivare al nostro accampamento.

A mano a mano che ci avvicinavamo, incontravamo molti legionari, da cui venivano schiamazzi di entusiasmo.

Volevo Berenice a ogni costo, ma come l'avrei strappata dalle braccia di Tito? Da che parte stava ora? Aveva davvero perorato la salvezza del Tempio? Pensava di prepararsi a un'altra vita all'ombra di un nuovo imperatore? Non vedevo più il mio cavallo, che ormai mi mancava appena spariva, e con un leggero sibilo lo chiamai con il nome che gli avevo dato: Ares!

Apparve e subito mi sentii meglio.

«Da Berenice. Andiamo!» Poi mi rivolsi a Flavio Giuseppe: «Sei un grande storico, Giuseppe. *Autopsìa!* Neppure Tucidide fu sempre presente a tutti i fatti che descrisse nelle sue *Storie*».

«E quindi?»

«Rispondi alla mia domanda, se puoi: chi ha voluto l'incendio del Tempio di Gerusalemme? Chi ha voluto salvarlo? Quando tornerò vorrò una risposta. Rifletti. Potrai dannare per sempre l'uomo che scriverai colpevole o far passare alla storia come un eroe colui di cui dirai che volle salvare il grande Santuario.»

Giuseppe chinò lentamente il capo in segno di assenso. Balzai in groppa ad Ares che, veloce come un lampo, mi lasciò davanti alla casetta dei gigli selvatici. Un bagliore lieve traluceva da una finestra. Berenice mi aspettava?

Aprii e subito su una gruccia vicino al muro vidi appesa

una panoplia creata evidentemente per una donna, quella che all'inizio della battaglia del Tempio indossava Berenice. Sentii che c'era qualcuno dietro di me e mi voltai: era lei! Berenice, che indossava un chitonisco. Mi abbracciò stretto come la prima volta che ci incontrammo e io le avevo portato i gigli selvatici.

Ci sdraiammo sul letto avidi l'uno dell'altra. Guardavo i suoi seni perfetti nelle coppe d'argento della sua corazza. Dovevo farle una domanda, ma temevo che quella avrebbe potuto essere l'ultima volta... per l'eternità.

Un bacio torrido e profondo, un amplesso ancora più ardente. Dovevo parlarle o avrei pagato tremendamente e molto presto: «Sono cambiate le cose dall'ultima volta che ci siamo incontrati e lasciati. Ti ho rivista su quel pomellato... eri molto vicina. Ti volevo disperatamente».

«È dunque un addio?»

«Le mie parole non erano di addio; nemmeno le mie braccia. Non lo sono i tuoi occhi lucenti, le tue labbra di corallo che sorridono. Ma una storia d'amore è difficile quando i due amanti sanno che le loro strade si allontanano su distanze inimmaginabili. Almeno per me.»

«Ma io non...»

«Lo so. E so anche che ti aspetta un trono imperiale accanto a colui che ha vinto questa guerra. Quanto a me: dove vado io tu non puoi venire.»

Sospirò. Nuda come era si offriva ai miei occhi tristi: i suoi invece brillarono di una luce improvvisa.

«Ho già udite queste parole. Anni fa: ero poco meno che una bambina. Uno dei discepoli di Jeshua molto avanti negli anni mi raccontò una storia di quando il Maestro era ancora con loro. Versò una lacrima per ogni parola che ripeteva... E dunque le tue sono parole di addio.»

«Ci sono tante cose che ci dividono... purtroppo. La mia natura...»

«Giuseppe mi ha detto di te, ma non posso credere che...»

«C'è una possibilità, amore mio.»

Ancora le si illuminarono gli occhi.

«Verrà il giorno in cui tu e io ci incontreremo in un luogo

stupendo che si chiama Portico di Ottavia. Si trova a Roma, e la nostra gioia potrebbe essere più grande di quanto non lo sia in questo momento. Credimi.»

Ci abbracciammo con passione infuocata. Poi la presi per mano e la condussi fuori nella notte, nudi ambedue come i genitori ancestrali... e forse si sarebbe ripetuto un incredibile evento che la prima volta aveva stupito migliaia di persone che vi avevano assistito. Tanti, tanti anni fa, il giorno della festa degli Azzimi, al calar della notte, il Tempio e l'altare si illuminarono di una luce magica, meravigliosa, che lasciò tutti stupefatti.

«Anche oggi è la festa degli Azzimi ma è un'altra luce, purtroppo, quella che vediamo» le dissi. «Guarda! È la luce rossa del fuoco. Ricordi quella nostra prima notte d'amore, quando da questa collina vedemmo il Tempio tutto illuminato di una luce uguale a quella della luna... Quanto è mai questa più straziante.»

Ci abbracciammo piangendo.

XXVIII

Per diverse notti sentii una voce risuonare, la voce tonante di un uomo che si aggirava per quanto era rimasto della città: «Misera, sciagurata Gerusalemme! Il fuoco ti brucia il cuore, misera Gerusalemme!».
Il grido echeggiava in ogni angolo della città martoriata. I capi rimasti non potevano sopportare quelle parole cupe; già troppo avevano sofferto quella catastrofe. Passarono altri giorni tetri. Il fuoco più volte usciva dalle viscere del monte, come se le fiamme che avevano incenerito il Tempio volessero accendere un vulcano.
Udii un'altra voce, molto diversa da quella che aveva commiserato Gerusalemme, e la voce tonante diceva: «Noi andiamo via da questo luogo!». Ero vicino al gigantesco sicomoro e non lontano sentivo lo sguardo di qualcuno sulla mia nuca. Lo stesso sguardo mi incontrò, poco dopo, di fronte. Desideravo Berenice dolorosamente, ma non riuscivo a trovarla: l'avrei raggiunta anche accanto a Tito e rapita.
Di fronte, non lontano dal sicomoro, mi guardava il giovane aitante dagli occhi di ambra, lo stesso che avevo visto sulla spianata, in mezzo a una distesa di cadaveri.
«Sai chi sono io?» mi domandò.
«Lo so. Sei quello che mi ha mandato in questi luoghi.»
«Sai anche perché?»
«No. Penso che solo tu lo sappia.»
«Se è così mi chiederai allora perché ti ho mandato in questo luogo e in questo tempo.»

«Non è dato a quelli come me fare una domanda a chi di tutti noi è il più forte.»

«E allora? Non risponderai alla mia domanda?»

«Lo farò quando avrò incontrato Jeshua...» il giovane cambiò espressione al suono di quel nome; per un attimo il suo volto impietrì, gli occhi si arrossarono «... quando lo incontrerò in Galilea trentasette anni fa.» Il giovane aitante dai capelli bruni e gli occhi d'ambra svanì in una musica struggente mentre uno Shofar, penoso, si fece udire.

Subito accadde qualcosa che mi raggelò, qualcosa che non avrei nemmeno immaginato. Mi trovavo ora sulla torre orientale della Fortezza Antonia. Era sera; il sole scendeva nel mare che non riuscivo a vedere.

Alzai gli occhi al cielo dove nembi giganteschi, neri, orlati di grigio rossastro, volavano, uno incontro all'altro, come spinti da due venti opposti. Seguì un fragore continuo, il frastuono di ruote di carri da guerra trainati dal galoppo di migliaia di cavalli e guidati da migliaia di guerrieri. Il rumore del loro galoppo era quello del tuono, il loro nitrito il sibilo delle folgori. Fra ogni carro e l'altro c'erano squadroni di cavalleria montata e alata e ai lati immense schiere di guerrieri opliti lampeggianti dai grandi scudi rotondi. Il loro grido di guerra faceva tremare la terra e a me il cuore. Non avevo mai neppure immaginato un'armata di tanta potenza. Era solo una prova? Era solo una manovra o in seguito le due masse si sarebbero saldate? E se così fosse stato: verso quale nemico si sarebbero scagliati?

Pensai, e composi nei miei occhi l'immagine del bel giovane aitante dai capelli bruni e dagli occhi d'ambra: lo vedevo con la corazza splendente, adorna con scene di combattimento, schinieri d'argento e un elmo crestato di colore scarlatto.

Tornai al sicomoro, dove ripresi il mio aspetto umano, e ben presto vidi Flavio Giuseppe correre con il suo cavallo verso di me.

«Hai visto anche tu?» gli domandai.

«Pensi di poter vedere fra i nembi migliaia di carri da guerra e udirne il rombo senza che io abbia visto e senza che io abbia udito?»

«Allora è vero?»

«Hai altre spiegazioni?»

Avevo altre spiegazioni? Ero stato inviato su questa terra, avevo assistito a eventi inimmaginabili, anche per un essere quale io sono. Avevo visto morire inchiodato a una croce il figlio dell'uomo e l'avevo visto risorgere. Avevo visto duemila croci nella piana presso Sefforis e un uomo proclamarsi Messiah. E infine avevo visto incenerirsi la casa dell'Altissimo con tutti i vasi sacri. L'unica casa di Dio sulla terra gli era stata tolta. Non avrebbe chiunque pensato che fosse giunta la fine del tempo?

«Forse, ma non per noi. Noi siamo eterni. Solo l'annientamento ci può distruggere, farci sparire. E Satana è fra noi.»

Giuseppe aprì gli occhi pieni di stupore: «Che stai dicendo? Non può essere».

«Eppure è stato. Quando ci fu la battaglia fra Giovanni e Simone sulla spianata ero là, e ho riconosciuto molti demoni uno per uno: era un messaggio chiaro. Avrebbero incenerito il grande quadriportico, il maestoso altare sulla sua base e infine il Sancta Sanctorum che un giorno custodì l'Arca dell'alleanza. E in seguito, proprio quando salirono le fiamme, mi apparve lui, il più bello, il più sfolgorante, il più forte: la chioma scura, gli occhi d'oro. Mi parlò.»

«Ti parlò? Che cosa ti disse?»

«Mi domandò dove sarei andato.»

«E tu che rispondesti?»

«Che sarei andato in Galilea, non lontano da Genesareth, e a queste parole lo vidi impallidire. E questo conferma che Jeshua era quello che sempre ha detto, anche sul Golgota dove io lo tentai e rivelai la mia natura. E ora rispondi tu a me: parlerai di lui nella tua storia? E che cosa dirai?»

«Darò la mia testimonianza, perché molte volte ho sentito di lui.»

Da quel momento la mia mente fu completamente occupata da ciò che avevo visto e udito: c'era nell'aria l'odore di una immensa catastrofe, nella notte i riverberi del fuoco e la sensazione di una oscura, universale sciagura che mi soffocava. Tutto ciò che ero sarebbe svanito, tutto ciò che avrei voluto credere e sentire nel cuore mi dava un tremore e un'angoscia così tagliente che avrei voluto affrontare la distruzione del mio corpo. E invece dovevo andare avanti: camminare, sudare, soffrire, e la notte sentire le musiche lugubri, il canto cupo dei secoli che avrei dovuto varcare senza forza, senza speranza, da sempre negata, senza voce.

Avrei voluto salutare Berenice ma dove, e come? Avevo deciso di partire e dovevo tentare di riposare. Due volte vidi passare Flavio Giuseppe diretto al pretorio dove avrebbe trovato Tito Cesare Vespasiano e dunque anche Berenice. Per ore rimasi in silenzio, muto, steso sul mio giaciglio, finché non molto lontano dall'alba, udii il passo leggerissimo di Berenice e sentii il suo profumo, forse distillato da un mazzo di gigli selvatici.

Mi levai: al lume quasi impercettibile del sole remoto ancora sotto l'orizzonte distinsi il volto soavissimo della regina di Cilicia e il disegno divino del suo corpo.

«Non sapevo nulla» disse quasi sottovoce, lieve come un canto.

«Non volevo turbare il tuo sonno, non volevo mostrarti la mia debolezza che mi è vietata e che forse non ti piacerebbe.»

«È vero che partirai tra poco?»

«Prima che il sole si sia levato sopra l'orizzonte.»

«E io non saprò mai chi sei davvero, né se e quando ti rivedrò. Non faremo più l'amore, non ci abbracceremo nella piccola casa sulla collina da dove ammiravamo il Tempio illuminato dalla luna piena. Il mio Tempio, che ora non è che un cumulo di rovine annerite.»

«Non posso dirti quello che vorresti sapere. Non sono come te, né come è Giuseppe il grande sapiente, il grande storico che tramanderà ai posteri tutto ciò che abbiamo visto. Chiedilo a lui. Saprà come risponderti. Ti attende un trono al centro dell'impero romano. Mi dimenticherai.»

«No. Non ti dimenticherò mai» ribatté con gli occhi umidi di lacrime. «Tutto ciò che di te è umano mi ha riempito il cuore.»

Mi abbracciò, mi diede un lungo bacio ardente e anche

io piansi prima di prendere il bastone del viaggiatore. Non avrei volato come un falco o sorvolato il mare con le ali di un gabbiano se non per vederla prima di dissolvermi.

«Ma se vedrai» dissi «un falco ammaestrato da un servo arabo nel palazzo di Vespasiano, non fargli del male; se vedrai un gabbiano sul pennone della tua triera in traversata non permettere a un mozzo di colpirlo con una fionda. Addio.»

Mi abbracciò con infinito trasporto e finché fui alla sua vista sentii il suo sguardo sulle mie spalle. Vidi passando le sue lacrime sulle foglie del sicomoro come rugiada della notte.

Andavo a piedi perché così avevo attraversato l'Italia con Jeshua, salendo e discendendo la cresta dell'Appennino nella speranza di incontrarlo, perché solo così si sarebbe mostrato. Raggiunsi così Gerico in una giornata e notai come fosse cambiato l'aspetto della città da quando l'avevo vista l'ultima volta. Vedevo anche migliaia di profughi seguire il mio itinerario, portando le povere masserizie che erano loro rimaste dopo la catastrofe della guerra. Ma sapevano anche quello che era successo. Tutti gli abitanti di Gerico erano devotissimi al Tempio e a ciò che significava. Molti avevano perduto figli, fratelli, amici carissimi. Si erano diffuse le notizie della terribile sciagura, in parte perché le notizie volavano, in parte perché gli abitanti dei villaggi più vicini a Gerusalemme avevano visto a occhi nudi l'immane calamità.

Per giorni e soprattutto per notti intere il Tempio, i portici e parti della Fortezza Antonia erano bruciati con fiamme altissime. Si erano udite le grida disperate dei sacerdoti, dei leviti, dei combattenti, i muggiti e le strida degli animali destinati a essere sacrificati e che invece erano arsi vivi nell'incendio.

Fra i profughi e gli abitanti molti piangevano, le donne singhiozzavano inconsolabili: pareva che un popolo intero fosse in preda alla più nera disperazione. Altri cercavano alloggio o presso amici o in piccole taverne. Qua e là drappelli di soldati romani di varie legioni, armati da capo a piedi, sorvegliavano la città e perquisivano i mercati per individuare eventualmente segni di insofferenza o di ribellione.

Trovai un rifugio in una stazione di sosta, una delle tante che i Romani avevano allestito lungo le strade che costruivano, e mi coricai all'alba dopo aver acquistato un pane e dei legumi.

Spesso mi domandavo se non fosse il momento di abbandonare il mio corpo, che aveva tante esigenze per muoversi e per mantenere le sue forze, ma volevo confondermi con gli altri umani e inoltre volevo conservare le sensazioni che ricevevo tramite la mia pelle, i miei occhi, e il mio udito, attraverso il quale percepivo la musica, il canto. Ricordavo il profumo di Berenice, che non sentivo più, ma sentivo quello dei fiori selvatici e mi chiedevo perché il giovane aitante dalla chioma bruna e gli occhi dorati mi avesse concesso quell'avventura umana che chiunque della mia specie avrebbe desiderato, anziché la tetra tenebra del puro dolore senza fine, del nulla eterno.

Ripresi il mio cammino verso settentrione e tenendo sempre alla mia destra il Giordano. La terra dove era vissuto Jeshua era una piccola costellazione di cittadine inanellate tutto attorno al lago di Genesareth. Forse era là che l'avrei incontrato. Ma perché, perché? Ero arrivato a pensare che se io non lo avessi raggiunto sarebbe stato lui a trovare me per aprirmi la conoscenza di ciò che andavo cercando. Ogni notte, quando mi sdraiavo sulla terra e provavo a addormentarmi, vedevo nel cielo armate di carri da guerra che correvano gli uni contro gli altri fra nembi di tempesta. Che cosa significava? Perché il giovane dai capelli bruni si aggirava attorno alle rovine del Tempio?

XXIX

Lago di Tiberiade, 33 d.C.

Camminavo lungo il Giordano e anche su quel sentiero vedevo strazio e disperazione. Jeshua aveva incontrato Giovanni il battezzatore e aveva concepito il regno di Dio sulla terra. Per questo era stato inchiodato alla croce. Volevo capire se il mio atto di volontà mi aveva portato nel tempo e nel luogo che cercavo. Dopo qualche giorno giunsi a Tiberiade. Da lì vidi un paio di volte alcuni dei discepoli di Jeshua su tratti della costa del lago e qualche volta li vidi andare a pesca. Forse l'avrei incontrato, prima o poi. Non sarebbe stato troppo difficile.

Contai tutti i giorni che avevo trascorso assieme a Jeshua o quelli che avevo trascorso non lontano da lui, ed ero intorno a lui cercando di capire che cosa stesse per accadere.

Una sera, poco prima del tramonto, vidi una barca che sembrava accostare, e non lontano dall'attracco una figura che mi sembrò di riconoscere: era lui?

Era lui. Ed erano passati quasi quaranta giorni da quando l'avevo veduto agonizzante sul Golgota.

Stava raccogliendo della legna in una sterpaglia che cresceva sull'arco di costa su cui attraccavano le barche.

Sulla barca c'erano sei dei suoi discepoli, fra cui Kefa, e stavano tirando le reti a bordo, reti che apparvero poco tempo dopo, vuote. Ma Jeshua aveva preso intanto qualche pesce, accese un fuoco con la sterpaglia, mondò i pesci e cominciò ad arrostirli.

«Shalom, amici!» disse. «Venite a riva. Avrete fame!» Capii che era lui. Era venuto in Galilea come aveva detto. Si prostrarono davanti a lui, si sedettero sulla sponda del lago e mangiarono insieme a lui. Nessuno di loro mi riconobbe.

Solo Jeshua: «Non ti hanno riconosciuto perché non sei uno di loro».

«E tu, Maestro, mi hai riconosciuto ma non mi hai dato il cibo della tua mensa. Io vorrei parlare con te. Pur di avere le tue risposte sarei pronto a digiunare fino a far morire questo corpo che ho rivestito da quando sono giunto su questa terra.»

«Io non sono della tua specie.»

«E per questo lasceresti morire il mondo? L'Universo?»

«Faccio la volontà del Padre mio.»

«E il Padre tuo ha voluto nel nostro futuro la distruzione della sua casa, l'unica in tutto l'orbe dell'unico Dio. L'avrai vista quando è stata ridotta in cenere? Era un altro tempo, o devo dire sarà un altro tempo. Tempo che tu hai costruito, come in un teatro, non io, povero piccolo demone!»

«Il popolo d'Israele ha avuto tutto il tempo: più di trent'anni! Ha assistito al mio strazio, c'eri anche tu! Ricordi? È successo pochi mesi fa in questo nostro tempo...»

«Anche tu hai avuto – avrai avuto – molto tempo, tutto il tempo, figlio dell'uomo! Ho voluto che tu vedessi la catastrofe del tuo Tempio, del Tempio del Padre tuo. In quel tempo gridai o griderò nel tempo che io ho voluto perché tu vedessi, perché tu, ora, *hic et nunc*, udissi il mio grido Jeshua! Jeshua!

Poco fa ho assistito allo strazio che sarà, come se fosse adesso! Famiglie annientate, bambini in lacrime, donne che singhiozzano perché hanno perduto tutto. E tu, figlio del Padre, non puoi fare sì che tutto questo non si avveri mai? Non si sarebbe mai avverato? E il tuo Padre, non avrà il potere di inviare le dodici legioni di angeli di cui parlavi la notte maledetta del tuo arresto?

Ora, ripeto, ora, adesso, *hic et nunc*, ti chiederò in ginocchio: hai visto anche tu le armate di innumerevoli carri da guerra fra i nembi tempestosi del cielo di Gerusalemme distrutta? Un tuo sacerdote, Flavio Giuseppe, li ha visti perfettamente. Ho paura, ho paura, mio Signore.»

«Come puoi aver paura ora: quella visione si manifesterà fra trent'anni, l'hai forse dimenticato? E non significa che questa battaglia si combatterà.»

Mi inginocchiai: «Non dimentico nulla, mio Signore, e ne sono atterrito, io che non dovrei essere atterrito di nulla».

Jeshua parlò: «Ora vedrai il futuro che voglio costruire». E rivoltò i pesci a mani nude.

I suoi amici gli si avvicinarono e lui li guardò negli occhi uno dopo l'altro, finché non si trovò davanti Kefa. Gli fece una domanda: «Kefa, mi ami?».

Kefa aveva le lacrime agli occhi: «Sì, Signore, ti amo».

Jeshua ripeté: «Kefa, mi ami?».

«Sì, Signore, ti amo.»

Jeshua domandò ancora: «Kefa, mi ami?».

«Ti amo, Signore» rispose Kefa.

Jeshua sapeva, come lo sapevo io, che colui che gli aveva giurato tre volte fedeltà prima che si fosse allontanato nel cortile del Sinedrio trascinato in giudizio lo aveva anche rinnegato per altrettante volte.

Ma la professione di amore che Kefa fece davanti a tutti gli bastò. Rispose: «E io ti dico che tu sei Pietro, e su questa pietra fonderò la mia Ecclesia». E proseguì: «Sarò sempre con voi».

I suoi compagni e amici si sedettero attorno alla rozza mensa e Jeshua pranzò con loro. Io arretrai su un modesto rilievo non molto lontano dalla costa del lago. Li guardavo dal mio piccolo osservatorio e mi chiedevo quanto Jeshua sarebbe rimasto con i suoi compagni e discepoli, ma pensavo che a quel punto si fosse convinto di aver compiuto la sua missione e che Pietro fosse ora in condizione di sostituirlo e di guidare la sua piccola Ecclesia.

Aspettai che avessero terminato il loro pasto frugale, volgendo ogni tanto la testa per vedere se qualcun altro arrivasse ad aumentare il piccolo gruppo, ma a un certo momento mi accorsi con sorpresa e con amarezza che Jeshua non c'era più.

XXX

Gerusalemme, 36 d.C.

Ripresa la mia strada per Gerusalemme, giunsi dopo alcuni giorni presso la Città Santa. Ero avvilito perché ero convinto che non avrei più avuto l'occasione di parlare con Jeshua. La sua persona, le parole, le azioni influivano profondamente sulla consapevolezza che avevo di me stesso come sede di un dolore potentissimo di cui non conoscevo l'origine, la causa, la durata.

Avrei voluto raccontargli cosa avevo visto sulla spianata del Tempio, nel tempo futuro, e chi avevo visto nelle sembianze di un giovane bellissimo e aitante: Satana! Avrei voluto sapere perché il principe dei demoni sembrava dominare il luogo più sacro al mondo e come vi fosse riuscito. Decisi quindi di restare e di tornare al mio tempo fisico, che cominciava dal Golgota, il monte dei teschi. Jeshua aveva detto infine ai suoi discepoli: «Sarò sempre con voi», quindi non poteva essere scomparso.

Ci fu, nel mio indagare e ricercare, un periodo in cui Pilato non era ancora stato rimosso dal suo incarico. In quel lasso di tempo, ero venuto a contatto con un giovane ebreo della diaspora, ossia uno di quegli Ebrei che si erano trasferiti nelle terre "ellenizzate" e che venivano chiamati "ellenisti". Anche il suo nome era di origine greca, si chiamava Stefano.

Questo giovane frequentava gruppi che avevano a loro volta conosciuto discepoli di Jeshua e aveva assorbito la loro fede in quel meraviglioso profeta detto "Cristo", che significa Messiah. Ma gli Ebrei più osservanti odiavano questi seguaci di Jeshua e li perseguitavano. Stefano si era così entusiasmato che predicava in pubblico la sua fede in lui: *Iesous*, come lo chiamavano in greco. Questo gli attirò l'odio feroce degli osservanti che lo lapidarono a morte.

Ero presente perché mi attraeva quel primo predicatore di *Iesous*. Suscitava in me una forte emozione pensare che Jeshua ora era oggetto di venerazione o di adorazione come persona divina.

Mi colpì anche la vista di coloro che dovevano giustiziare Stefano per bestemmia in seguito a verdetto del Sommo Sacerdote. Avevano tutti in mano una pietra per massacrare quel povero ragazzo. A parte uno che aveva uno strano compito: custodire i mantelli dei giustizieri così che avessero più libere le mani per lanciare le loro pietre.

Sapevo chi era: un ebreo romanizzato che veniva da Tarso, una bella città, ricca e potente, affacciata sul golfo di Alessandria di Cilicia, dove forse avrebbe avuto residenza la mia adorata Berenice che non vedevo da tempo. Mi informai ancora e seppi che si prestava per dare la caccia ai fedeli di Jeshua e farli condannare a morte. Un fanatico sanguinario. Avrebbe fatto carriera. E ancora una volta, quel Jeshua che avevo visto vivo dopo la sepoltura non faceva nulla per salvare i suoi seguaci, coloro che avrebbero seguito le parole dei suoi discepoli. Ma dov'era Jeshua? Avevo calcolato nuovamente il tempo trascorso dalla resurrezione. Erano passati trentasei giorni e trentasei notti. Quanto tempo sarebbe rimasto con i suoi discepoli e i suoi apostoli? Solo lui poteva saperlo. Che cosa sapeva dei carri da guerra che correvano in cielo con il fragore di tuono? Tutto, indubbiamente. E io ero l'unico che poteva capirlo, e farsi capire da lui.

Satana: cercai di trovare il luogo in cui si nascondeva; Jeshua non doveva trovarsi molto lontano. Erano gli esseri più potenti al mondo.

Lo trovai mentre, invisibile, rendeva onore alla sepoltura di Stefano. Quando mi trovai vicino a lui gli parlai: «Maestro, hai visto il corpo di quel ragazzo dopo la lapidazione? Massacrato da un monte di pietre, ucciso lentamente.

Eppure io so che dicesti: chi è senza peccato scagli la prima pietra». Jeshua mi guardò con un'espressione strana, che lasciava trapelare tristezza e ira al tempo stesso. In certe occasioni la sua parte umana si manifestava più chiaramente. «Ognuno di questi eventi, dai più modesti ai più mostruosi e crudeli, è impresso nel mio cuore e nella mia mente. Chi ha inflitto tanto dolore deve pagare in proporzione. Il Padre mio non sempre attenderà il giorno del giudizio per infliggere la punizione.»

«Ho visto due armate fra i nembi oscuri del cielo» dissi. «Centinaia di carri da guerra lanciati a folle velocità, trainati da cavalli neri come la morte e cavalli rossi come fiamme che nitrivano più acuti del rumore delle folgori.»

«Li ho visti passare sopra la spianata del Tempio» disse il Maestro, «sulla distesa dei corpi massacrati dalle spade e dalle lance dell'odio. Ho visto le loro anime feroci assetate di sangue sfogare l'odio più crudo e tagliente nella furia ardente della mischia. Ma non solo: gli aurighi e i guerrieri che hai visto ruggire grida di guerra fra i nembi sono altro che umani e dovranno scontrarsi presto con il fragore di migliaia di terremoti.»

«Altro che umani» ripetei. «E quindi chi erano? Quelli che tu vedesti nel cielo del futuro, che tu hai chiamato perché anche io vedessi quelli di cui anche tu fai parte? E volevo che tu stesso prendessi una decisione, che tu fermassi la distruzione del Tempio, l'unica residenza dell'unico Dio. Che tu fermassi la distruzione di Gerusalemme e del suo popolo.»

Jeshua mi fissò profondamente negli occhi mentre diceva: «E pensi che debba essere la tua specie a prendersi cura di questi eventi? Tuttavia sono loro quelli sui carri da guerra trainati da cavalli neri fra i nembi tenebrosi. Loro stracciarono il velo del Tempio, loro assistettero alla mia tortura e alla mia morte... tu compreso».

«Furono loro, quindi noi» ripresi a dire, «ad assistere al tuo ritorno e a richiamare attorno a te i tuoi apostoli e i tuoi discepoli. Ma credi davvero che formeranno con te una cosa sola, la tua Ecclesia? Non sai che ben presto si batteranno gli uni contro gli altri? E che quel giovane ucciso a colpi di pietre sarà morto per nulla? E lascerai che il Tempio e le sue mura e i suoi portici siano solo e per sempre rovine? Tu potresti, anche ora, fare sì che si rialzasse ancora più bello di come era prima.»

«Devo sapere» rispose, «quando sarò più vicino al Padre mio, quale sarà l'esito della battaglia: chi vincerà e chi sarà battuto. Nessuno può sapere se il Tempio dovrà restare un cumulo di rovine o se dovrà essere ricostruito. Se ricostruirlo sarà un'opera santa o la causa di altro sangue, altro furore, altri mostruosi massacri.»

«Tu, Signore, che sei padrone del destino, tu che vedi più lontano dell'aquila e del falco, ti prego, dimmi: dove avverrà lo scontro fra i carri di fuoco e i carri di tenebra?»

«Ognuna delle due parti, quella della luce e quella della tenebra, saprà dove avverrà lo scontro. La presenza del principe dei demoni nei luoghi più sacri, coincidente con gli scontri più feroci e brutali, lascia comprendere come abbiano potuto tenere testa tanto a lungo alle armate dell'impero romano.»

C'incamminammo: ebbi il privilegio di camminare al suo fianco.

Ripresi la nostra conversazione con una domanda che mi aveva sempre assillato: «Vuoi dire che il Padre tuo avrebbe potuto mandare dodici legioni di angeli a porre fine immediatamente alla guerra più sanguinosa e violenta che Israele abbia mai combattuto in tutta la sua storia?».

«Il Padre mio avrebbe potuto tutto in qualunque luogo e in qualunque tempo.»

«Perché non l'ha fatto? Perché non l'hai fatto tu?»

Mi tremavano i polsi. Immaginavo, come scriveva Flavio Giuseppe, il grande storico, due immensi eserciti collidere fra neri nembi orlati di rosso e poi la carica di migliaia di carri da guerra sotto una pioggia di folgori abbacinanti in una valle deserta verso settentrione: la valle di Esdrelon. Harmageddon!

«Tu hai dormito nella mia tomba e nel mio corpo freddo. Ti rendi conto di che cosa hai fatto?»

«Dovevo capire.»

«C'è un limite... ora la spianata del Tempio è coperta di cadaveri, e Satana ti appare come un giovane aitante. La terra lontana trema, scossa da terremoti; il monte di Harmageddon si squarcia come il velo del Tempio, come quando esalai il mio spirito. Il principe delle tenebre si è mostrato perché tutti i segni di Apocalisse si sono mostrati. L'armata della luce deve scintillare come gli elmi dorati di dodici legioni di angeli: li guidano tre triarchi brandendo spade enormi; ciascuno di loro è invincibile.»

«Quando?» domandai.

XXXI

Distesa di Esdrelon, in un altro tempo

Cadde il silenzio su tutta la distesa di Esdrelon, mentre il sole scendeva verso l'orizzonte, scarlatto. Il vento moriva ai piedi del monte squarciato. L'armata oscura cominciava a scendere dai neri nembi verso Esdrelon. Dal disco del sole lembi sanguigni macchiavano la valle piatta come un mare immobile.

A oriente un altro sole si levava dall'orizzonte, bianco più della luna; pochi potevano fissarlo. Dal ventre di un nembo un carro trainato da quattro possenti corsieri uscì d'un tratto, scese verso terra e si pose al centro dell'armata scura. Dalle nari gli enormi cavalli soffiavano fiamme, s'impennavano rampanti ruggendo come leoni.

Il guerriero coperto di un'armatura nera, affiancato da un auriga, si diresse verso la piana che riluceva come uno specchio per le stoppie del grano tagliate dai mietitori. Quella infinita distesa su cui si erano scontrati gli eserciti di tanti imperi, Hittiti, Egiziani, Assiri, Cassiti, Achei, Cappadoci, Babilonesi, Israeliti, Etiopi... era giunta a ricevere solo la lama dell'aratro e quella della falce messoria, quasi un miracolo, e ora era il teatro della battaglia dei guerrieri più terribili di tutti i tempi: i guerrieri delle tenebre a cui io appartenevo e quelli della luce che avevano creato un nuovo sole perché illuminasse la notte illune e non ci fosse tregua alla mischia feroce.

D'improvviso apparve a occidente una nube di polvere e una voce in greco declamò: «Ἐφάνη κονιορτὸς ὥσπερ νεφέλη λευκή, χρόνῳ δὲ συχνῷ ὕστερον ὥσπερ μελανία τις ἐν τῷ πεδίῳ ἐπὶ πολύ.»*

E subito dopo la polvere si diradò, e apparve un altro esercito schierato in semicerchio, scintillante dagli scudi, dalle corazze, dagli elmi dorati. All'ala destra e a quella sinistra c'erano due guerrieri alati coperti di bronzo accecante, e al centro il comandante supremo, che riconobbi, perché l'avevo visto da poca distanza: Raphael, coperto di acciaio, scendeva in quel momento, appena sfiorando il terreno con la punta del piede sinistro, enormi le ali spiegate.

In pochi istanti le due armate erano schierate. Avevo già visto anche il guerriero coperto di armi brunite sul carro trainato da quattro cavalli neri: era il giovane aitante che avevo incontrato sulla spianata, bruno di capelli, occhi color ambra. Tremavo, non immaginavo che cosa potesse succedere, ma ero certo che alla fine della battaglia di tutte le battaglie avrei dovuto rendere conto al principe dei demoni di quello che avevo fatto e di quello che non avevo fatto; di come avevo usato il corpo che mi faceva riconoscere o camuffare, di quanti dei miei compiti avevo condotto a termine.

Con quel mio corpo umano avevo amato appassionatamente Berenice. L'avevo freneticamente posseduta portandola al vertice del piacere e del desiderio: nessuna donna avrebbe mai potuto raggiungere quella brama sfrenata. Ma quanto avrei pagato per quei momenti? Quanto avrei subito di punizione crudele, di un dolore che solo l'inferno può sferrare? Avevo visto un uomo divino nel cuore e nell'anima e del tutto innocente essere straziato dal flagello, inchiodato nei polsi e nei piedi gridare: «Padre mio! Padre mio! *Lamà sabactani*». Nessuno era venuto a soccorrere quel giovane martoriato. Per questo gridai: «Scendi dalla croce!».

Cosa sarebbe stato di me? Forse sarei stato colpito dalla condanna estrema: la dissoluzione, l'annullamento, il

---

* «Poco tempo dopo, apparve un polverone, come una nuvola bianca, nella pianura, per vasto tratto.»

non essere più. Eppure la battaglia non era ancora iniziata. Il secondo sole, bianco più della luna, avrebbe illuminato il campo di battaglia, la nera armata dei neri combattenti, degli aurighi ritti sui carri accanto ai loro guerrieri, che avrebbero fatto piovere acciaio siderale sull'esercito della luce, migliaia di dardi amari sugli alati combattenti. Ma i triarchi erano sulla terra da tempo a preparare l'evento, la lotta feroce da cui non mi astenevo né avrei potuto astenermi, a preparare dodici legioni di angeli guerrieri, possenti, dal grido tremendo che faceva sussultare la terra e il monte di Harmageddon.

Satana si erse sul suo carro impugnando la lancia che aveva sgretolato intere città e disintegrato pianeti, mentre i suoi cavalli neri scalpitavano. Lo ricordavo così come l'avevo visto sulla spianata del Tempio, la sua sagoma scura che camminava sul ballatoio della Fortezza Antonia. Era difficile staccarlo da quella immagine. Pensavo sempre al giovane prestante con i capelli bruni e gli occhi di ambra.

Ma ora la piega amara delle sue labbra mi atterriva, il suo sguardo si era incupito e mi trovava dovunque io fossi; se pronunciava una parola al suo auriga raggiungeva il mio udito come un ringhio feroce.

Mi accorsi con spavento che Jeshua era scomparso: perché si era dileguato come un fantasma? E temevo che Satana avrebbe potuto leggere nella mia mente: lo avevo visto impallidire la volta che davanti a lui avevo pronunciato il nome del Maestro galileo. E comunque l'assenza del Maestro di certo gli dava sicurezza nell'imminenza dello scontro con i triarchi e le loro dodici legioni di angeli guerrieri. Ma ormai non c'era più tempo.

Un canto altissimo, acuto, suonò l'attacco.

Le due armate si scontrarono in una mischia terribile. Il fronte mostrava l'intera sua estensione su tutta la lunghezza di Esdrelon. Da una parte e dall'altra i comandanti mostravano la loro forza, i loro atti di volontà determinavano la distruzione di masse immense di avversari.

I triarchi, dall'altra parte, guidavano intere legioni di angeli guerrieri e io pensavo a quali reparti pensava Jeshua mentre i soldati del Tempio lo circondavano per arrestarlo sul Getsemani.

I demoni, già sconfitti all'inizio della Creazione come ribelli alla volontà divina, mostravano ormai la loro inferiorità quando, con mio spavento, vidi migliaia di cadaveri rianimati per il combattimento. Per questo avevo visto, nella notte, i morti accumulati sulla spianata del Tempio e riconosciuto i demoni che ora stridevano e digrignavano i denti.

Riconobbi non pochi di loro, perché li avevo visti l'uno sull'altro esanimi dopo gli scontri sulla spianata del Tempio. Fra di loro c'erano i seguaci di Simone detto "il tiranno" e quelli di Giovanni di Giscala, quasi diecimila.

Avevano i volti sfigurati, le membra mutilate e fatte a pezzi dai cani randagi che si aggiravano sul fianco della forra che scendeva a precipizio verso il torrente Cedron.

Si armarono e si gettarono nel centro della mischia sulla piana di Esdrelon per dare man forte all'armata delle Tenebre.

Nessuno, nella piana sterminata, poteva sottrarsi allo scontro più duro e crudele che mai si fosse consumato dal giorno e dalla notte del primo urto titanico, nella prima gigantomachia. Il principe della nostra stirpe, al centro della schiera tenebrosa, si batteva come un eroe omerico, e la sua forza di volontà era la più potente dopo quella dell'Altissimo e del figlio suo Jeshua. Lui aveva esclamato a Kefa nel podere del Getsemani dopo che il discepolo aveva sguainato la spada: «Che cosa credi, che non potrei pregare il padre mio che subito mi manderebbe più di dodici legioni di angeli?». Era dunque venuto il momento? Ogni istante che il principe oscuro si volgeva verso di me sentivo che era giunta la mia ora. Che luogo poteva esserci più atto al mio annientamento della valle di Esdrelon, mentre Satana affrontava i triarchi sfolgoranti? E quale istante se non quello uguale alla deflagrazione ancestrale? La piana sembrava oscurarsi e le furie della notte avrebbero potuto emergere dal ventre della terra, ma i triarchi volsero le lame delle spade verso il disco del sole bianco, che splendette come una cima nevosa.

Lo stuolo immenso di combattenti dall'una e dall'altra

parte, la forza smisurata dei loro spiriti, che avrebbe potuto creare dal nulla una galassia, rendevano impossibile una vittoria sia di una parte sia dell'altra; gli eventi apocalittici a cui avevo assistito avevano certo una causa e, quando si furono manifestati a pieno, la battaglia di Harmageddon era divenuta inevitabile: era il momento in cui qualcosa doveva far pendere la bilancia verso il buio o verso la luce.

D'un tratto qualcosa mi trasse dal buio della mia mente, e vidi un cavallo nero e grigio correre a incredibile velocità lungo la costa del monte di Harmageddon fino alla cuspide. Che cosa, o chi, correva così incredibilmente veloce? Allora anche io montai un cavallo fiammato che mi era passato accanto, che correva senza cavaliere da un lato all'altro di Esdrelon, e spronai più rapido della folgore lungo la costa del monte. Giunsi alla sommità sotto una pioggia di dardi che riuscivo appena a vedere e quindi a sviare. Gli arcieri di Michael, il secondo triarca sul campo di battaglia, o forse i suoi stessi dardi, micidiali e immediati per qualunque umano, a me potevano infliggere l'annichilimento in quanto essere incorporeo, o la morte fisica per la distruzione del corpo che avevo assunto.

Balzai a terra come quando ero balzato sulla nave che portava cento bambini, e per un istante mi volsi indietro ad abbracciare completamente Esdrelon con lo sguardo. Questa era sempre la regola in combattimento: tutti dovevano essere visibili a tutti in qualunque modo. Ciò che vedevo mi atterriva e ciò che mi colpiva mi martoriava perché avevo un corpo: vedevo sparire a migliaia i combattenti, i compagni che svanivano in una piccola nube rossa come una nebbia di sangue. Con tutta la forza dello spirito lanciai una supplica ai compagni che fino a un attimo prima si battevano al mio fianco. Mi volsi a settentrione, verso i monti lontani del Carmelo, e vidi una figura coperta da un mantello dalla testa ai piedi. Traeva da dietro una roccia una coppia di cavalli aggiogati a un carro da guerra, cosa che non avrei mai pensato. Un altro drappo nascondeva un oggetto strano, che non ebbi nemmeno la possibilità di toccare.

L'uomo dal capo celato mi si avvicinò e poi, indicando il carro, disse: «Monta, penserò io al tuo cavallo».

Salii sul carro, diedi una voce alla pariglia e il carro cominciò a scendere. Sulla pianura la mischia che nessuno avrebbe potuto vedere e che io vedevo perfettamente continuava con incredibile foga. Mi ricordava la violenza che avevo visto sulla spianata del Tempio, così come vedevo le ferite e un sangue che sembrava saturare la terra riarsa. A ogni scontro fra le due armate anche i nembi del cielo erano squarciati da folgori abbacinanti seguite dallo strepito e dal fragore dei tuoni, e la terra era squassata dai terremoti. Ma il carro che io e l'uomo velato continuavamo a guidare proseguiva per la sua strada, fino a fermarsi immobile al centro di Esdrelon.

Le due armate arretrarono. I triarchi Michael, Gabriel e Raphael si fermarono, mentre Satana, il guerriero nero con gli occhi fiammeggianti, e i due demoni al suo fianco, Byleth e Baal, toccarono con la punta delle spade il suolo. La terra si fermò. In cielo i nembi si arrestarono.

XXXII

Il misterioso personaggio dal capo velato scoprì l'oggetto issato sul carro mostrando una croce, grezza, che ancora recava macchie brune di sangue. Il palo verticale era stato fissato al centro del palo orizzontale.

«Che cos'è?» domandai.

«Una croce» rispose l'uomo velato. «Non la riconosci?»

«Sono tutte uguali. Questa di chi è?» domandai. La sua voce mi suonava diversa, ma forse era il lungo distacco che mi dava quella impressione.

«È la croce su cui è stato inchiodato Giuda, il figlio di Ezechia, che si era proclamato il Messiah ed era stato costretto ad assistere al supplizio dei figli.»

Mi venne in mente un'immagine terribile: il Padre che assisteva al supplizio del figlio sul Golgota senza soccorrerlo. Il figlio che si rivolgeva a lui dicendo: «Padre, perdona loro perché non sanno quello che fanno».

Le due armate si allinearono a destra e a sinistra mentre la croce troneggiava dal carro a un'altezza di otto cubiti da terra.

Le dodici legioni dell'armata luminosa salutavano la croce con alte grida, come quando i legionari acclamano il loro comandante che ha vinto in guerra. L'uomo che mi stava accanto sul carro scese assieme a me. I triarchi Gabriel, Michael e Raphael chinarono il capo e si disposero attorno a me e al mio compagno.

L'uomo che mi accompagnava si volse verso i triarchi e per un attimo mi girò le spalle e scoprì il capo. Vidi i volti di ognuno dei triarchi atteggiarsi a un'espressione di grande meraviglia. L'uomo al mio fianco si coprì nuovamente il viso lasciando scoperti solo gli occhi. Si avvicinò a me, sempre con il viso velato tranne gli occhi che luccicavano sopra la benda; mi guardò e poi guardò dritto in volto il grande guerriero dall'armatura brunita completamente circondato dai combattenti della sua armata. Mi venne a mente quando sul Golgota gridai: «Se sei il figlio di Dio, scendi dalla croce!», e le parole durissime giunte a me dalla croce di Jeshua, dalle sue labbra insanguinate.

L'uomo velato accennò all'armata delle tenebre poi a me, si scoprì e disse:

«Non è più con loro il tuo posto.»

Avevo ricevuto da Jeshua un dono incommensurabile che solo Dio avrebbe potuto elargire a uno come me. Non riuscivo a darmene ragione.

Solo una persona poteva pronunciare quelle parole e far sì che avessero effetto!

Il guerriero coperto dall'armatura brunita si volgeva intorno, rivolto ai suoi comandanti, anche loro meravigliati e stupefatti, ma immobili.

Era dunque possibile porre fine a una pena atroce e infinita inflitta dall'Altissimo?

Mi affiancai all'uomo che mi accompagnava finché giungemmo a un albero di lentisco e lì restammo seduti, noi soli, a guardare il culmine del monte di Harmageddon e il cielo che lentamente si apriva. Il mio compagno si scoprì completamente e mostrò le fattezze di Jeshua il Messiah. Mi inginocchiai davanti a lui: «Mio Signore, la mia felicità è immensa e senza limiti; quasi non posso crederci. In tutta la mia esistenza mai ho provato un simile sentimento, nemmeno quando compresi di esistere per la prima volta. Come potrò ricambiare un dono grande come un universo?».

Jeshua finalmente parlò: «Ho varcato con te i limiti del

tempo, ho visto fratelli massacrare i fratelli, ti ho visto salvare cento bambini innocenti, sono sceso con te come guida nell'abisso degli Inferi; ho visto ardere e incenerirsi la dimora del Padre mio su questa terra, il Tempio dove soltanto una volta all'anno è lecito al Sommo Sacerdote pronunciare il suo nome. In tutto il tempo che ho trascorso con te, mai ti ho visto fare il male e anche quando hai giaciuto con una femmina che non ti apparteneva, lo hai fatto con amore e con una buona intenzione. Da ultimo hai capito che il principe dei demoni stava per sovvertire l'ordine supremo e hai fatto echeggiare il mio nome nel crepuscolo e hai capito il significato dell'armata oscura che attraversava i nembi del cielo per battere le dodici legioni della Luce.

Forse hai pensato che avrei potuto cambiare il presente cambiando il futuro, ma non hai pensato che se questo fosse stato possibile non sarebbe accaduto e non hai riflettuto che sei ancora in tempo perché questo non accada ancora e per sempre.»

«E ora, Maestro, che cosa sarà di me?»

«Non devi temere: quello che decido io, lo decide il Padre. Per il resto, fai ciò che ritieni giusto o quello che ti suggeriscono gli eventi. Sei libero.»

Mi prese un nodo alla gola. Mai avevo udito simili parole in tutta la mia eternità.

Avevo un corpo e potevo piangere. «Potrò mantenere questo corpo?» gli domandai.

«Ho mantenuto il mio» rispose Jeshua, «perché tu non potresti conservare il tuo?»

«Ma sarò solo contro l'armata oscura, intera. Come potrò resistere?»

Jeshua alzò il dito verso il cielo: «Guarda».

Vidi l'armata nera con i suoi carri da guerra che raggiungeva i nembi giganteschi e spariva nelle scure immense masse orlate di giallo; i lampi palpitavano all'interno, i tuoni facevano tremare tutta la terra da Gerusalemme alla piana di Esdrelon.

Ci guardammo negli occhi fino in fondo: «È giunta l'ora, mio Signore?».

«Sì, amico mio.» Piansi ancora a quella parola. «Dobbiamo salutarci. Vedrò mia Madre, i miei amici li ho già visti e ho promesso loro che non li abbandonerò, ma non sarò come mi vedi ora.»

«Ci rivedremo?» domandai con le lacrime agli occhi.

«Sì» rispose. «Non so dirti quando. Sarà la divina provvidenza a decidere il momento. A partire dalla mia morte i miei fedeli conteranno gli anni dalla mia nascita: l'anno senza numeri. Non aver paura, ti ho messo a fianco uno degli angeli di Raphael: l'ha addestrato lui. Si chiama Cornelius e se lo vorrai fortemente lo vedrai e potrai anche parlargli.»

Gli brillarono gli occhi e la sua bocca accennò l'ombra di un sorriso. Mi balzò il cuore in petto: mi stava trattando come un amico a cui voleva bene.

«Ti aiuterà a varcare millenovecentottantotto anni nel futuro.»

«Millenovecentottantotto? E se non riuscirò?» Temevo di dover tornare indietro.

«Non accadrà nulla. Cornelius ti aiuterà. Ma ricorda: il tuo primo punto di arrivo sarà Gerusalemme, poi Roma. Infine dovrai decidere dove fermarti. Cornelius è un guerriero come Raphael e certamente ti aiuterà in tante circostanze. Ma stai attento; quando sarà il momento ti troverai in una situazione che in qualche modo potrai riconoscere. Se vedrò che hai veramente bisogno di me ti verrò incontro. Addio.»

XXXIII

Gerusalemme, 70 d.C.

Per giorni e notti vissi come un essere umano: comprai degli abiti, del cibo e affittai una casetta a Gerusalemme, fuori dalle mura, o meglio, da quanto ne era rimasto. Feci costruire anche un riparo per il mio cavallo e andai per i vari quartieri della città desolata e deserta, pattugliata dai manipoli dell'esercito romano che ancora controllava casa per casa saccheggiando il poco che era sopravvissuto. La gente era disperata: chi aveva perso la moglie o il marito o i figli, altri avevano perso tutta la famiglia. Chi si ammalava moriva inesorabilmente, perché nessuno poteva curare le innumerevoli ferite subite nelle infinite battaglie in gran numero fratricide. I monumenti che conservavano le gloriose memorie del passato d'Israele erano stati distrutti o devastati dalle artiglierie romane, il paesaggio era una sterminata serie di ruderi. Di una delle più belle città del mondo non era rimasto quasi nulla. Non si poteva neppure più pregare, perché in tutta Israele l'unica sede dell'Altissimo era stata soltanto il Tempio, ora un'enorme catasta di ruderi, che dopo mesi continuava a emanare un fumo pestilenziale. Ancora si trovavano lungo le strade i resti delle migliaia di cadaveri, i teschi che spalancavano le vuote orbite e mostravano le grottesche dentature di chi era morto di fame prima che di spada o di lancia, sicché quelle ossa, troppo secche e vuote, non erano appetibili nemmeno per i cani.

Le autorità romane cercavano di trovare accordi con i superstiti dell'alto clero, dei più in vista fra i leviti, tentando così di ricostruire una classe dirigente con cui trattare un qualche modo di gestire il potere politico oltre a quello religioso.

Non c'era più nessuno che avessi incontrato a Gerusalemme: Tito era rientrato a Roma e Berenice lo aveva seguito nella capitale del mondo conosciuto. Forse a malapena mi ricordava o mi aveva dato per morto. Avevo perduto anche Flavio Giuseppe; il grande storico aveva seguito Tito nel palazzo imperiale. Almeno così pensavo.

Il sollievo dalle atroci pene a cui l'Altissimo ci aveva destinati per l'eternità non mi dava la felicità, ma la scomparsa del dolore immane cui ero stato dannato mi faceva sentire appagato e infinitamente grato al Rabbi di Galilea che mi aveva dato la libertà contraddicendo le regole dell'Universo. L'Altissimo doveva amare infinitamente il proprio figlio che non aveva padre come tanti bambini e ragazzi.

In seguito meditai mille volte il suo gesto e non trovai una spiegazione sufficiente per comprenderlo a pieno. L'unica risposta possibile era che il potere del Rabbi doveva essere stato sostenuto da quello dell'Altissimo, che gli aveva concesso più di dodici legioni di angeli per sconfiggere l'armata oscura e il suo supremo comandante.

XXXIV

Monte Tabor, 33 d.C.

Un giorno sentii d'un tratto il desiderio fortissimo di allontanarmi dalla desolazione di Gerusalemme e chiamai Ares, il mio cavallo nero. Ci incontrammo presso il sicomoro e mi sembrò dapprima che Ares fosse lieto di vedermi, ma poi mi accorsi che era decisamente inquieto. Aveva capito che non ero più come prima, ma non riusciva a ritrovare ciò che ero. Lo accarezzai guidato da un istinto nuovo, che avrei dovuto apprendere e conoscere a fondo. Misi alla prova la mia volontà e il primo atto fu quello di chiamare Cornelius. Dovetti mettere in atto tutta la mia forza, e inoltre aggiunsi una musica che conservavo da tempo nella mia mente, talmente bella che mi commosse, e finalmente lo vidi. Di poco inferiore a Raphael in statura, aveva un'espressione accattivante che certamente poteva cambiare a suo piacimento.

«Sei tu Cornelius?» domandai.

«Sono io» rispose.

«Ti immaginavo diverso.»

«Come un putto con l'aureola sul capo e le alucce sul dorso come ci rappresentano qui? Dammi un'occhiata» disse, «sono piuttosto diverso, come anche il triarca Raphael... Certo, una statura di otto cubiti fa impressione, ma in battaglia ha la sua utilità. Che razza di creatura sei, e cosa è questa musica?»

«Ero un demone, ma ho conosciuto Jeshua: ero sul Golgota e l'ho visto morire. E l'ho seguito anche nella tomba;

abbiamo viaggiato insieme per terra e per mare e credo che mi abbia conosciuto a fondo, a tal punto da liberarmi dalla prigione infernale.»

«Per sempre? È impossibile! Ti sei illuso: la condanna non può essere condonata.»

«È lui che ti ha messo al mio fianco e mi ha detto che Raphael ti ha addestrato e che non devo aver paura di nulla e di nessuno. A te ha detto qualcosa?»

«Che dobbiamo valicare diciannove secoli in avanti.»

«Per arrivare a Gerusalemme e a Roma, e poi?»

«Sì. Non sarà facile: è molto lontano.»

«Io l'ho già fatto una volta, e ho visto Jeshua salvare la vita a un giovane arabo deciso al martirio islamico. La bomba sarebbe dovuta esplodere in mezzo alla folla che gremiva la piazza del Muro del pianto. Sarebbe stato un massacro.»

«Quando vuoi partire?»

«Questa notte.»

«Quando vuoi. Ma dimmi della musica che ho sentito poco fa.»

«Viene dalla mia mente e da un ricordo.»

Chiamò il suo cavallo d'argento e partimmo al galoppo. Si faceva scuro, ma ormai si scorgeva nell'oscurità il profilo del monte Tabor.

Arrivammo su una modesta altura distante una trentina di stadi dalla nostra posizione. Una lieve aureola contornava il grande monte.

«Lo sai» dissi «che Jeshua si è trasfigurato sulla cima del Tabor assieme a Giovanni, Pietro e Giacomo suoi discepoli. Le loro vesti erano diventate luminose, di un bianco accecante; quelle di Jeshua erano drappi di luce. Poi, d'improvviso, erano apparsi accanto a Jeshua due imponenti personaggi: Mosè ed Elia.»

«Come sei riuscito a riconoscerli?» domandò Cornelius. «Ti è rimasto qualche brandello di natura demoniaca? Noi» continuò «siamo ispirati.»

«Guarda il profilo del Tabor, non è meraviglioso?»

«Lo è» rispose, e guardammo l'aura che circondava la forma quasi sferica del grande monte. La sua luce aumentava e si spandeva su di un territorio immenso e doveva essere visibile dalle città, dai villaggi, dai casolari.

«Pensi che si veda anche da Gerusalemme?» domandai.

«Gerusalemme è di poco più alta e si vedrà di sicuro.»

La sfera luminosa cominciò a salire oltre la curvatura del Tabor, fino a conseguire la forma della luna, ma con una luce accecante al centro.

«Vedi al centro» domandò Cornelius «quella forma sfolgorante? È lui. Noi siamo capaci di riconoscerlo perché ci abbaglia.»

«Lui Jeshua?»

«È lui. Lui nella gloria della resurrezione.»

La luce si staccò completamente dalla superficie del Tabor diventando un globo perfetto che saliva sempre più e contemporaneamente sempre più veloce. Come poteva salire così veloce e ancora più veloce? Il globo divenne sempre più piccolo, come un pianeta e poi come una stella che infine scomparve nel buio dell'Universo, forse in un altro mondo.

«Tornerà?» domandai.

«Così ha detto e certamente manterrà la sua parola» rispose Cornelius.

«Torniamo a Gerusalemme» gli dissi. «Devo incontrare una persona. Tu nasconditi: temo che non ti piacerà stare sempre accanto a me. Tanto so come richiamarti. Me lo ha detto lui.»

Cornelius mi guardò con un'espressione non proprio soddisfatta e disparve, ma restò visibile il suo Argento, il cavallo che gli era stato assegnato.

XXXV

Gerusalemme, 70 d.C.

Io chiamai Ares, che mi raggiunse immediatamente nel campo del sicomoro. Mi arrampicai senza fatica fino al maggior incrocio dei suoi rami. Di là vedevo tutto e sentivo la presenza di Berenice. Forse era solo il desiderio di incontrarla che mi faceva pensare a un segnale della sua presenza. Possibile che fosse ancora nel campo? Le tende delle legioni erano state in gran parte smontate, solo pochi manipoli restavano a pattugliare i contorni del *castrum* nel caso che fosse venuto il bisogno di riabilitarlo. Mi ero nascosto nella chioma del sicomoro per non essere visto.

Argento si era avvicinato al mio Ares e i due si annusavano e si mordicchiavano sul collo a vicenda. Erano due stalloni interi: non erano quindi attirati l'uno dall'altro per motivi diversi dal piacere della compagnia. Guardai tutto intorno: avrei voluto parlare con qualcuno, confidare a qualcuno ciò che avevo fatto, detto, visto, forse sognato. Chiedergli quale futuro avrei avuto dopo.

Da un padiglione uscì una portantina retta da due puledri e scortata da due legionari e da due servi che reggevano torce accese. Scesi dal sicomoro, legai i due cavalli a una branca dell'albero e mi incamminai attraverso l'accampamento quasi deserto, in modo da tagliare la strada alla portantina. La luce delle torce mi rese riconoscibile; un uomo diede una voce ai portantini che si fermarono, un altro uomo scostò la tenda della portantina e uscì, appoggiando i piedi in terra.

«Demetrio!» disse usando il mio nome greco e romano. «Che ci fai qui a quest'ora e in questa notte?»

«Flavio Giuseppe!» esclamai. Mi sembrava un miracolo o una apparizione. «Sono appena tornato a Gerusalemme» risposi. «Volevo vedere in che condizioni erano la città e la cittadella. E tu? Non è abbastanza quello che hai raccolto per quei rotoli che hai in questa portantina?» domandai sbirciando all'interno e nelle tasche che contenevano i papiri delle sue opere.

«Non è mai sufficiente la nostra conoscenza dei fatti per costruire la storia dei fatti, degli uomini e delle condizioni dei luoghi.»

«Giuseppe» gli dissi, «tu affermasti nella tua storia della guerra giudaica di aver visto due armate di carri da guerra schierate fra due banchi enormi di nubi gigantesche che facevano crollare masse di grandine sulla terra, e ogni blocco avrebbe potuto uccidere un uomo. Confermi quello che scrivi di avere visto?»

«Certamente ho visto ciò che ho scritto, anche se capisco che è difficile crederlo, ma è anche difficile credere che sei venuto fin qui solo per chiedermi se ciò che ho scritto è vero o almeno verosimile. In realtà tu sei venuto per cercare Berenice: sei pazzo di lei.»

«Dov'è? Io ho fatto il mio dovere e tu il tuo. E anche lei, mi sembra... Dov'è?» ripetei.

«A Roma, con Tito, dove andrò anche io fra poco. Cosa credevi, che sarebbe stata qui ad aspettarti? Dimenticala se vuoi vivere. Mi hai deluso, comunque. Hai perso la testa per quella femmina. La nostra città e il nostro Tempio sono solo un cumulo di macerie fumanti.»

«Non certo per colpa mia, né per colpa sua; se tu potessi anche solo immaginare che cosa ho visto e che cosa ho fatto in questa terra non parleresti così. Ho visto le tue due armate di carri da guerra scendere sulla pianura di Esdrelon, ho visto Satana in persona condurre la sua armata di tenebra e ho visto l'armata luminosa condotta dagli arcangeli triarchi nella battaglia più spaventosa che tu possa immaginare.»

Trascorse un lungo tempo di pesante silenzio e poi Giuseppe

riprese a parlare: «Vuoi farmi credere che sei stato nella gola di Harmageddon?».

«È quello che ho fatto.»

«Ci crederò se mi dirai chi sei.»

Chinai il capo e pensai cosa avrei potuto dire. Poi decisi di dirgli ciò che forse lui voleva udire.

Parlai a lungo, ansimando sovente e con un forte batticuore, e alla fine Giuseppe si convinse che non potevo aver inventato tutto ciò che stavo dicendo.

Ma quando gli riferii la frase di Jeshua, "Sei libero", esclamò: «Non è possibile! Nessuno può infrangere la legge dell'Altissimo, non può essere!». Subito dopo gli vennero le lacrime agli occhi. Capiva che ciò in cui aveva sempre creduto e per cui aveva combattuto era tutto vero, che i figli di Israele che avevano versato il loro sangue in ogni angolo della spianata del Tempio l'avevano offerto per il Signore Dio e che Demetrio era in realtà Aroc, un demone che aveva assistito al sacrificio di Jeshua sulla croce. Ma se lo stesso Jeshua lo aveva liberato dal suo stato e di fatto lo aveva liberato dalla condanna eterna significava che aveva meritato quella libertà. Ciò che il figlio decideva, il Padre approvava.

Riflettei su cosa avrei dovuto o voluto fare e in poco tempo si affacciò alla mia mente il volto di Berenice che si trovava a Roma. Decisi di non chiamare Cornelius che forse non avrebbe approvato quell'incontro. Mi volsi allora a Giuseppe, che pure sarebbe dovuto tornare a Roma per incontrare l'imperatore e porre mano alla sua opera. Lui chiamò i suoi due tedofori per illuminare la scena: voleva farmi vedere qualcosa che stava estraendo dalla sua borsa, un rotolo di pergamena. L'aprì davanti a me e apparve un disegno, evidentemente il progetto di un arco trionfale a un solo fornice su cui era scolpito il corteo del trionfo dove spiccava un gruppo di legionari che sosteneva una piattaforma su cui troneggiava un grande candelabro a sette braccia: la Menorah! Nel vedere quel simbolo antichissimo della sua nazione e della sua religione, fatto costruire da Salomone come voleva la tradizione, a Giuseppe vennero gli occhi lucidi. Giuseppe odiava il fanatismo degli estremisti che avevano rifiutato tante proposte di pace, tra cui le sue. Li detestava in cuor suo. Se avessero accettato avrebbero salvato la cittadella, la Fortezza Antonia, il Tempio stesso. Il candelabro era ora il simbolo più pregnante della identità israelitica, era un trofeo dei vincitori da mostrare a una folla in delirio che acclamava il nuovo imperatore.

«Andiamo insieme a Roma» gli dissi, «ci faremo compagnia e parleremo come abbiamo fatto tante volte.»

Flavio Giuseppe mi guardò negli occhi come se volesse leggervi qualche cosa che non aveva ancora capito. Ma infine annuì: «Domani all'alba, incontriamoci all'inizio della strada che porta a Jaffa. Lì troveremo da imbarcarci. Troveremo anche qualcuno che ci custodisca i cavalli».

Dormii tranquillo senza ansia, solo con il pensiero di Berenice. La vidi più volte in sogno e vidi scene del nostro amore. Solo l'idea che Cornelius disapprovasse quei sogni e quelle scene mi turbava: non capivo e non sapevo quali obblighi comportasse il mio nuovo stato. Quasi invidiavo Giuseppe che aveva un codice di comportamento antico di millenni.

XXXVI

Roma, 79 d.C.

L'indomani ci imbarcammo; il comandante salpò le ancore e prese il largo. In otto giorni con il vento favorevole attraccammo al molo di Ostia.

Gli operai del porto ci aiutarono a sbarcare il nostro bagaglio e mentre chiacchieravano riuscii a captare qualche frase in un latino zoppicante ma comprensibile. Parlavano dell'ebrea che viveva al palazzo imperiale nel lusso più sfrenato, dicevano che il nuovo imperatore era pazzo di lei e faceva tutto quello che lei gli chiedeva: il quadro perfetto di come immaginavo che Berenice vivesse. Mi accordai con Giuseppe per poterlo seguire a palazzo come suo assistente e Giuseppe acconsentì. La vicinanza con il grande storico mi dava diversi vantaggi: nessuno mi chiedeva nulla, bastava la parola dell'importante personaggio perché anche io vivessi di luce riflessa.

Assistemmo all'inaugurazione dell'arco trionfale. A quel punto tutto era pronto per il trionfo e il conferimento ufficiale del titolo di *imperator* in qualità di vincitore della guerra giudaica. Tito però rifiutò il titolo di *Iudaicus*. Alla sfilata del trionfo assistettero migliaia di persone e fra esse c'erano molti Ebrei: i discendenti della colonia ebraica che Giulio Cesare aveva stabilito a Roma per ringraziare i suoi membri che avevano contribuito a sbloccare la cintura di assedio dell'esercito egiziano attorno ad Alessandria quando lui, vincitore di Pompeo a Farsalo, aveva occupato il palazzo reale tenendovi in ostaggio il fratello e sposo di Cleopatra VII, Tolomeo XIV.

Al passare della sfilata con i Giudei incatenati e della Menorah, molti Ebrei romani si allinearono per assistere allo spettacolo. Quegli uomini si erano adattati alla vita nella capitale, molti di loro erano nati a Roma. Avevano case, poderi in campagna, cavalli e bestiame, a casa cibo abbondante, vini pregiati; vestivano abiti costosi, ma sul loro volto si leggevano desolazione, sconforto e tristezza. Vivevano a Roma con i loro figli e le loro mogli da più di trent'anni, ma il ricordo della loro terra bruciata, del loro popolo sconfitto e disperato era struggente. Vedevano poi sfilare le legioni che avevano battuto e ucciso tanti dei loro compatrioti e ora mostravano il frutto dei saccheggi ammucchiati sui carri trainati da cavalli e da ultimo il vincitore sul carro trionfale affiancato dall'auriga.

Una sera Giuseppe venne invitato a cena da Tito e io lo accompagnai. L'atmosfera era di gioia e di spensieratezza: danzatrici, saltimbanchi e lottatori allietavano gli ospiti. Poi un gruppo di musici diede prova della propria abilità. A un tratto apparve una splendida donna avvolta in un abito di seta aderente e con scintillanti gioielli al collo, alle orecchie e ai polsi. Ancheggiava avanzando e attraversò tutta la sala diretta alla sedia curule su cui sedeva Tito.

La regina Berenice!

Avrei voluto volgermi da un'altra parte per dare le spalle allo spettacolo, all'*imperator* trionfatore, e soprattutto a lei. Vederla a pochi passi di distanza e non poterla avere mi tormentava, ma al tempo stesso capivo che non potevo pensare che non avere quella splendida femmina fosse una tortura quando il figlio dell'Altissimo mi aveva da poco liberato dall'atrocità del dolore infinito ed eterno. Quando mi volsi di nuovo verso il seggio di Tito me la trovai davanti, sorridente con la bocca ma con una espressione di mestizia nel volto. La salutai sotto voce mentre mi inchinavo a lei: «Non posso credere di essere qui con te».

«Ti ho pensato ogni giorno e ogni notte.»

La serata continuò fino a notte inoltrata. Giuseppe mi disse che il padre di Tito, Vespasiano, era morto da due mesi e avremmo dovuto fargli le nostre condoglianze.

«C'è qualcosa di triste nel volto di Berenice» dissi.

«Forse penserai che è per la nostalgia di te» replicò Giuseppe ironico.

«Non sono così presuntuoso: tu mi spingesti a entrare nelle sue grazie e io l'ho fatto, ma i sentimenti non possono essere solo oggetto di trame politiche.»

Giuseppe si fece più comprensivo: «Andiamo a fare le condoglianze a Tito e poi ti spiegherò».

Ci avvicinammo a Tito e Giuseppe parlò per primo: «Cesare, perdona se turbiamo l'aura di gioia che regna in questa casa, ma volevamo porgerti, anche se tardi, le nostre condoglianze per la scomparsa dell'imperatore tuo padre...».

A quel punto intervenni io per non mettere in imbarazzo Giuseppe che avrebbe dovuto anche congratularsi per l'ascesa fra gli dei del divo Vespasiano. Lo feci io al suo posto.

Quando la notte cominciò a scendere sulle palpebre dei presenti Tito augurò la buona notte a tutti e a ognuno diede un accompagnatore che conducesse gli ospiti nelle camere da letto.

«Mi avevi promesso che mi avresti spiegato qualcosa» dissi a Giuseppe.

«Si tratta di una cosa triste. La gente comune, ma anche i senatori, i cavalieri e le persone che stanno attorno all'imperatore detestano Berenice perché è ebrea e fanno pressione su Tito perché la cacci.»

«Ma qual è la sua colpa?»

«Non ha nessuna colpa: è ebrea ed è l'amante dell'imperatore. La guerra contro i Giudei è costata un tributo di sangue enorme. La sola idea che una di loro dorma nello stesso letto con Tito toglie loro il sonno, o almeno così dicono. Prima o poi Tito dovrà piegarsi a queste pressioni per non inimicarsi il popolo, il senato, i cavalieri, cioè l'intera Romanità. Cederà. Non può perdere l'impero per tenersi una femmina ebrea.

Berenice soffre moltissimo di questo. Vuole molto bene a Tito, che l'ha coperta di ogni riguardo, di doni preziosissimi, di mille premure e attenzioni. So che ti faranno male le parole che sto per dirti, ma devo essere franco con te. Nessuno come te ha avuto il bene di godere del suo corpo e delle sue arti erotiche. Grazie alla tua potente natura hai resistito ai suoi incanti, anzi, hai conseguito il contrario: lungi dall'essere soggiogato dalle sue grazie, hai soggiogato lei con la potenza del tuo nerbo, ma non tanto da farti preferire all'imperatore dei Romani. Tuttavia ho un'idea che farebbe contenti tutti.»

«Forse ho capito a che cosa alludi. Parla, comunque.»

«Immaginiamo che tu riesca a convincerla a seguirti e ad abbandonare Tito, cosa, credimi, non facile, perché la brama di potere è maggiore della libidine: Tito avrebbe accontentato il senato e il popolo romano; tu avresti conquistato la donna dei tuoi sogni e potresti legarla a te in modo indissolubile. Mentre lasciavamo la sala dei ricevimenti ho visto uno dei servi mettere qualcosa nella piega della tua toga. Hai controllato?»

«Non ancora.»

«Fallo, subito.»

Misi la mano nella piega della toga, trovai un piccolo rotolo di pergamena e l'aprii.

Diceva:

Amore mio,
Molti pensano che una donna non possa amare due uomini. Non è vero.
L'amore ha mille volti, mille profumi e mille fremiti. Quello che provo per te non l'ho provato con nessun uomo. Devo assolutamente incontrarti, ma non sarà facile: Tito mi fa sorvegliare in ogni modo. Una volta mi dicesti che un giorno ci saremmo incontrati in un luogo di Roma che si chiama Portico di Ottavia.
So come arrivarci senza farmi vedere e sarò là domani al tramonto. Ti prego, non mancare. Ti amo più che mai.

XXXVII

Andai al Portico di Ottavia al tramonto. La *Tabula orbis romani* prendeva l'ultima luce facendo brillare le pietre dure che marcavano le più importanti città dell'impero e i corsi dei fiumi, che risaltavano come nastri argentati. Seguii anche le strade che si snodavano su tutte le terre dell'impero e calcolai la distanza fra Roma e Gerusalemme.

Una voce conosciuta echeggiò alle mie spalle da meridione, dalla parte del teatro di Marcello: «Sembra impossibile che i Romani abbiano percorso tanti territori e marciato per migliaia di miglia per giungere fino a Gerusalemme». Mi volsi e mi trovai di fronte una figura femminile avvolta in una veste di bisso rosa pallido e una stola di seta color avorio: Berenice!

Restai fermo in piedi davanti a lei, mormorando finché ci fu luce parole sommesse che non ricordo e poi, con il calare della notte, la seguii mentre scendeva una piccola scala di tufo che portò in un lungo corridoio e poi in un vano di venti piedi per quindici che sembrava un antico ninfeo. Qualcuno aveva collocato alcune torce accese che spandevano un poco di luce.

Ci gettammo l'uno nelle braccia dell'altra in un lungo bacio profondo, poi ci sedemmo ciascuno su uno sgabello coperto da un cuscino con un vello di lana.

Parlai per primo: «Ho saputo che qui sei malvista, tranne che da Tito che tutti pensano ti sposerà. Ma sappiamo anche delle forti pressioni sull'imperatore provenienti dal senato e dal popolo».

«Perché sono ebrea» disse Berenice. «Sono ben informata.»

«La guerra è stata un orrendo bagno di sangue» replicai «e le ferite non si sono ancora rimarginate. Ogni ebreo è considerato un nemico, anche una donna e una regina come te, tanto più se ha un ascendente sull'imperatore. Tito non può resistere alle pressioni del senato e di buona parte del popolo e prima o poi dovrà allontanarti dalla residenza imperiale. Andiamo via» dissi, «non devi essere cacciata come un animale nocivo. Andiamo via, ti prego!»

«Non credo che sia possibile. Solo per incontrarti qui ho dovuto corrompere tante persone ad alto prezzo.»

«Noi abbiamo altri mezzi» risposi, «e Flavio Giuseppe si sta adoperando perché Tito ti convinca a lasciare Roma e a tornare con me a Gerusalemme.»

«A Gerusalemme?»

«Sì. È l'unica soluzione, amore mio. Ti prego, accetta. Avremo una casa.»

«Sì, certo. Volentieri. Ti ringrazio per aver pensato a me.»

«Devo avvertirti però...»

Berenice mi guardò di sottecchi, forse temendo di trovare nella città un triste paesaggio di desolazione, ma disse: «Vai avanti».

«Se davvero pensi di seguirmi non la riconoscerai. Sarai stupita di quello che vedrai.»

«Non ho paura. Dimmi quando pensi che partiremo.»

«Il primo giorno del prossimo mese. Ci ritroveremo qui.»

«Sì, non mancherò, mio amore.»

Ci separammo a malincuore e nel tempo che mi rimaneva prima della partenza m'incontrai più volte con Flavio Giuseppe.

«Dove andrete a Gerusalemme?» mi chiese.

«Non so in che stato troveremo la città, ma avrò un'abitazione dove potremo vivere, e nel frattempo vedrò come avere un futuro con lei, oltre a un passato.»

XXXVIII

Gerusalemme, oggi

Partimmo, Berenice e io come stabilito. E forse lei aveva trascorso l'ultima notte con Tito. Ma non m'interessava: vi sono cose già determinate e stabilite, forse dal destino. Giungemmo così a cavallo giorno dopo giorno allo stretto di Messina e lì salimmo su un colle prospiciente lo stretto. Il paesaggio era stupendo: si vedevano i marosi battere contro le rocce coprendole di bianca spuma e, attraverso lo stretto, navi dalle bianche vele che dallo Ionio passavano nel Tirreno. Restammo a lungo a osservare le prore tagliare la corrente e svanire lentamente. Parlai a Berenice: «Devo spiegarti ciò che accadrà fra non molto, domani stesso direi. Ciò che vedrai sarà stupefacente. Non ti ho detto tutto ciò che ci aspetta perché non lo crederesti, ma mi sono consigliato con Flavio Giuseppe che conosce quello che posso fare. Ora copriti gli occhi con la tua stola. Sentirai un rumore e quando riaprirai gli occhi mi rivedrai come adesso».

Berenice fece ciò che le avevo detto e io mi concentrai in un grande sforzo di tutta la mia volontà, e chiusi gli occhi. Quando li riaprii mi apparve Gerusalemme come la volta che Jeshua aveva salvato un ragazzo arabo che voleva farsi esplodere in mezzo alla folla assiepata davanti a quello che chiamano Muro del pianto e che forse è una parte rimasta della Fortezza Antonia.

Berenice era accanto a me, profondamente turbata. Tutti la guardavano per la foggia dei suoi abiti. Cercai di farle capire in che luogo e in che epoca ci trovavamo:

«Quella che vedi è Gerusalemme oltre diciannove secoli dopo il regno di Tito.»

«Non è possibile» disse.

«Guardati intorno, guarda la foggia degli abiti, guarda in cielo da quella parte: quello che vedi non è un uccello. È una macchina che vola. Ora vieni con me: devi cambiare i tuoi abiti come ho fatto io. Io sono già stato in questo luogo e in questo tempo, con Jeshua di Nazareth.»

Berenice sembrava sempre più spaventata. Disse: «Riportami a casa. Ho paura».

Non capii che cosa intendesse con quella frase: se dovessi riportarla a Roma e al Portico di Ottavia o alla casetta del sicomoro che conoscevo. Decisi per la seconda possibilità.

La casetta che avevo visto l'ultima volta che ero stato a Gerusalemme era abbandonata, ma era pur sempre un rifugio. Non era ciò che avrei voluto per Berenice, una regina che aveva abitato palazzi reali e il palazzo imperiale.

L'addormentai per poi risvegliarla due settimane dopo in una condizione migliore. E intanto fui tentato di preparare una vita per noi, adattata al tempo e al luogo.

Le dissi: «La tua condizione non è semplice: a Roma non puoi tornare per i motivi che già conosci, ma anche qui forse potremo restare per un tempo limitato che non sappiamo. A Roma tutti pensano che tu sarai ospitata alla corte di tuo fratello Agrippa al quale pare tu sia molto affezionata. Forse troppo, a quanto si dice. Penso che sia bene che continuino a crederlo. Io quindi preparerò, con l'aiuto di un caro e potente amico di nome Cornelius, una donna identica a te in tutto e per tutto che sarà sempre alla corte di Agrippa. Nessuno quindi ti cercherà altrove. Ma tutto questo ha a che fare con il tuo tempo e il tuo luogo. Ora cerchiamo di muoverci dove siamo. Seguimi, se vuoi».

L'abbracciai e lei mi baciò con un bacio interminabile. Non volevo separarmi da lei.

La presi per mano e mi diressi per una strada stretta che immetteva sulla spianata delle moschee. Il sole declinava e molti visitatori camminavano da un punto all'altro.

Ci stavamo dirigendo verso la Cupola della Roccia e spiegavo a Berenice dove eravamo e che cosa erano quegli edifici. Pensai alle parole di Jeshua mentre i suoi discepoli erano estasiati ad ammirare la bellezza del Tempio illuminata dal sole al tramonto.

«Quindi il Tempio non è mai stato ricostruito.»

«No. Mai. E sono passati diciannove secoli.»

«Perché?»

«Perché ora ci sono queste moschee che appartengono a tutto il mondo islamico.»

«Cos'è "islamico"?»

«Un'altra religione che ha conquistato la metà del mondo.»

Berenice chinò il capo come se stesse meditando, poi mi seguì mentre scendevo verso la necropoli monumentale. Attraversammo il Cedron e ci avviammo lungo la sponda orientale salendo la china fino a un punto dove un gradino di pietra permetteva di sedersi. Il sole faceva risplendere l'enorme duomo dorato della Cupola della Roccia.

«Da qui mi tornano in mente le parole di Jeshua e le sue lacrime mentre contemplava il tempio... "Verranno giorni in cui di quello che vedete non rimarrà pietra su pietra che non sia distrutta." E tutto si avverò.»

Trovai un impiego senza difficoltà. Le mie capacità rispetto a quelle degli altri erano enormi. Con il lavoro venne tutto il resto: un'abitazione sontuosa, degna della bellezza e del fascino di Berenice, un'auto sportiva e frequentazioni sempre più altolocate, nella politica, nella finanza, nell'altissima tecnologia.

Berenice mi accompagnava ai ricevimenti, elegantissima, con al dito il suo leggendario diamante, e il nostro amore era sempre più forte e intenso. Di rado Cornelius mi faceva visita, quel tanto che era necessario per tenere lontani i miei ex simili. Tutti avevano paura di lui perché dietro Cornelius c'era l'arcangelo triarca guerriero Raphael.

Una sera fui invitato a una riunione di politici a Tel Aviv e cercai con tutte le energie di evocare Cornelius perché avevo intuito l'importanza di quel meeting. Cornelius mi si manifestò all'interno del bar del Jaffa Hotel e ordinai una birra e un caffè. Il caffè era solo per scenografia perché io soltanto avevo un corpo. Poi, accompagnati da una hostess, fummo introdotti nella sala del meeting. I membri del raduno erano cinque me compreso.

«Il presidente è quello al centro del tavolo» mi disse Cornelius. «Si chiama Gad Aurebach, forse l'uomo più potente d'Israele dopo il Primo ministro. Quando avrà finito il suo discorso è probabile che ti parlerà in disparte. Fai molta attenzione: è un uomo di estrema intelligenza, un politico scaltro, stimatissimo a livello internazionale. È stato ferito duramente dalla perdita di un figlio nell'esercito durante l'occupazione del Libano dopo la guerra del '67. Il secondo figlio di nome Jonathan milita anche lui nelle file di Tsahal. Quello con la cravatta rossa e il Rolex al polso è Kabinsky, il braccio destro di Aurebach. È temuto anche dagli alti ranghi della polizia e dei servizi segreti, a parte Aurebach, ovviamente, per la sua determinazione e anche per le amicizie altolocate. Tientelo amico, anche se sei già molto potente e stimato, e tienlo sempre d'occhio.»

Lo rassicurai che avrei fatto la massima attenzione ed entrai. Aurebach mi fece un cenno di benvenuto e cominciò a parlare, seduto e senza microfono.

«Cari amici, vi ringrazio per avere aderito al mio invito. Un benvenuto particolare a mister Demetrios Acorray che si è inserito di recente nella nostra comunità dove si è distinto in tempi incredibilmente rapidi per le sue iniziative nel campo delle supertecnologie e nel commercio internazionale.» Accennai, accettando il complimento, e il comandante continuò: «Il presidente degli Stati Uniti George Bannister ci ha, negli ultimi tempi, sostenuti come mai prima. Per questo le alture del Golan, prima territorio siriano e conquistate da Tsahal nel 1967, sono state riconosciute territorio israeliano e ancora confermate come tale anche di recente.

Nel 2018 fu pubblicamente annunciato il trasferimento dell'ambasciata degli USA da Tel Aviv a Gerusalemme e ora il trasferimento è avvenuto, proprio nel giorno del settantesimo anniversario della fondazione di Israele.

Io credo che sia giunto il tempo in cui realizzare il sogno

di tutti i figli di Israele, di tutti coloro che piangono l'impossibilità a pregare sulla spianata. Proclameremo il culto della memoria dei cavalieri templari, fra i quali sono stati scoperti dagli scienziati dell'Università di Gerusalemme alcuni nomi ebraici, il che prova che mai, ripeto mai, il nostro popolo dimenticò le sue radici e attraverso i millenni conservò le Sacre scritture, i culti dei padri, le memorie dei nostri eroi, resistendo a mostruose e barbare persecuzioni che sparsero il nostro sangue su monti e pianure arrossando i torrenti e i fiumi.

Ci fu addossato il crimine della crocefissione di Jeshua di Nazareth quando tutti i documenti storici affermano in modo irrefutabile che furono i Romani a consumare quel delitto: IESUS NAZARENUS REX IUDAEORUM. Non fummo noi a trapassargli il costato con la lancia di Longino! Fu il centurione romano che gli spezzò il cuore con la lancia *et continuo exivit sanguis et aqua*. Questa è la verità! Ma la menzogna ancora adesso ci infligge indescrivibili danni e ci toglie la completa sovranità sulla Terra che da Dio ci fu promessa.»

Il piccolo pubblico tentò un applauso, ma Gad Aurebach lo fermò con un gesto delle mani e salutò: «Nessuno deve udire alcun rumore segno di esultanza. Dobbiamo muoverci nell'ombra e nel silenzio per difendere il nostro sogno. Parlerò a ciascuno di voi separatamente in un luogo che non può essere violato da nessuno e da nessuna macchina, nemmeno la più potente e sofisticata. E sapete perché? Perché noi abbiamo l'asso nella manica, l'arma segreta».

Gli bastò alzare di un centimetro il mento per indicarmi dove mi avrebbe incontrato. Mi precedette e io lo seguii. Ero oltremodo curioso di sapere ciò che il comandante Aurebach mi voleva dire in gran segreto.

Visto da vicino, Aurebach faceva impressione. Il volto era percorso da solchi profondi, segno di infinite preoccupazioni, di acuti dolori; la fronte ampia e rugosa portava le tracce di pesanti e durissime responsabilità. I suoi occhi perforavano i miei con lo sguardo come volessero sondare un enigma che gli sfuggiva pur con l'enorme esperienza che doveva aver accumulato in una vita trascorsa nei gangli più complessi dello Stato e delle grandi potenze. Le sue occhiaie fonde e scure erano state scavate dalle lacrime per un figlio abbattuto in guerra.

«Dottor Acorray» esordì, «io ora le farò delle domande a cui sarà libero di non rispondere, ma alle quali mi auguro che risponderà, perché spero che lei vorrà collaborare con noi.» «Vada avanti» lo esortai.

«Lei mi ha colpito per la sua stupefacente e rapidissima carriera. È arrivato in città undici mesi fa e ora è il tecnocrate più in vista fra Gerusalemme, Tel Aviv, Dimona e Be'er Sheva. So che ha accumulato una ricchezza enorme, cosa che non mi è stato difficile appurare setacciando i conti correnti e i tabulati delle banche, tuttavia, devo ammettere, celati magistralmente visto che ci hanno dato molto filo da torcere per metterli alla luce del sole.»

«La ringrazio per i complimenti, signor, anzi colonnello Aurebach. La mia performance è stata anche per me molto soddisfacente, ma se vuole controllare i miei libri contabili vedrà che non ci sono zone oscure. Troverà solo una persona che ha lavorato duramente giorno e notte per affermarsi e conquistarsi la fiducia della gente di questa magnifica città.»

Aurebach non era evidentemente soddisfatto, ma era soprattutto curioso di capire chi io fossi e mi incalzò: «Nessuno sa chi è lei, dottor Acorray, da dove viene, perché è venuto qui a Gerusalemme, perché, quando è giunto, assieme a una splendida donna che ancora, mi sembra, vive con lei, ambedue vestivate stranamente. Come se doveste recitare in teatro».

«Venivamo da lontano» risposi, «da un popolo e da nazioni che avevano antichissime tradizioni a cui ci eravamo adattati, abbiamo subito voluto adattarci anche qui, al modo di vestire all'occidentale.» Ma forse il colonnello Aurebach pensava che quel modo di vestire non derivasse da un luogo ma da un tempo e questo gli sconvolgeva la mente e l'anima.

Mentivo e questo mi dava disagio nei confronti del potente custode che avevo sempre al fianco, Cornelius, che a volte riuscivo a evocare nel suo apparire con un enorme sforzo di volontà. Ancora di più pensavo a Jeshua, scomparso negli abissi siderali e che sarebbe tornato come aveva promesso e che mi aveva liberato da una schiavitù spietata e senza speranza. Noi due avevamo marciato e poi navigato l'uno al fianco dell'altro fino alle soglie degli Inferi, in una catabasi temeraria per me, incomprensibile e in un tempo non tempo.

Ripresi la mia conversazione: «Colonnello Aurebach, ho aderito al suo invito e ho risposto nei limiti del possibile a un interrogatorio che potrebbe per me essere fatale».

«È questo il problema» rispose Aurebach. «I suoi limiti del possibile.»

«Certamente e la capisco. Ma non trova che anche io potrei esigere da lei la stessa contropartita? Chi mi dice che lei non potrebbe rivelare ciò che vorrebbe conoscere da me a ogni costo o, peggio ancora, utilizzare aspetti della mia persona una volta che io glieli avessi descritti?»

«Ho bisogno di uomini come lei» rispose Aurebach, «ma devo potermi fidare al mille per mille. Capisce? Potrei rivelarle cose che non potrebbe confidare nemmeno a se stesso. Dovrebbe essere pronto a tutto. I suoi segreti non potranno restare tali per sempre e, una volta che qualcuno ne fosse al corrente, lei, mister Acorray, dovrebbe prepararsi a resistere a qualunque pressione, anche alla tortura. Pensi alle formazioni armate, tutte composte da fanatici sanguinari. Se invece uniamo le nostre forze, le nostre intelligenze, le nostre virtù, nessuno oserà attaccarci, perché sono convinto che i nostri alleati, i miei e i suoi, possano formare un nucleo di potenza formidabile.»

«Fra me e lei, colonnello, ci sono ostacoli difficili, se non insuperabili. Temo che ognuno di noi dovrà cercare di scoprire i segreti dell'altro isolatamente...»

«E questa sarebbe una calamità, forse un disastro. Si fidi di me, mister Acorray. Non se ne pentirà.»

Cornelius avrebbe potuto sapere tutto lo scibile di ambedue in un battito di ciglia, ma mi ero ormai reso conto che il suo incarico era solo di proteggermi da esseri troppo potenti per me. Tuttavia i soli pochi minuti che avevamo trascorso nello studio di Aurebach erano di sicuro sufficienti per sciogliere tutto ciò che per noi era enigma.

«Forse ha ragione, colonnello, ma c'è qualcosa in lei che non mi convince...»

«Ho perso un figlio, mi è morto fra le braccia... di che cosa dovrei convincerla?»

Cadde di nuovo il silenzio fra noi, abbastanza greve per farci riflettere. Evidentemente dovevo io prendere la parola: «Sta bene: io sono fuori dal tempo e dentro, ho poteri che nessun uomo su questa terra potrebbe nemmeno immaginare, ho conosciuto personalmente Gesù di Nazareth e sono stato sul Golgota a vederlo morire; ho combattuto ad Harmageddon; la splendida donna che condivide la mia vita ha circa duemila anni e sono immortale. Tocca a lei.»

Il colonnello Aurebach disse soltanto, impassibile: «Sono il comandante del Mossad».

Quella semplice frase mi colpì più di qualunque altra dichiarazione. Sapevo bene di che cosa si trattasse.

«Vada avanti» dissi, «mi parli del sogno, perché di questo si tratta. E anche da quello dipende la mia scelta se restare con lei come sua arma segreta o no.»

Aurebach mi guardò con occhi di ghiaccio, poi parlò: «La cosa resta fra noi due».

«Naturalmente.»

«La spianata del Tempio» cominciò «è stata da oltre tremila anni di Israele e deve tornare com'era. Questo significa che lo Stato di Israele deve avere la sovranità su tutta la spianata. Le moschee dovranno essere rase al suolo. Il terzo Tempio deve essere immediatamente costruito. I nostri architetti hanno quasi condotto a termine la stesura del progetto.»

Il mio sguardo doveva essere stato eloquente perché Aurebach continuò subito il suo discorso: «Non si preoccupi e non pensi a capitelli e colonne, a bassorilievi e cornici: sarà una costruzione meravigliosa, rigorosa, nuda e solenne, in un'architettura impeccabile».

«Non è questo che mi ha sconvolto e tuttavia spero prima o poi di vedere questo progetto. Ciò che mi sono chiesto è se ha considerato le conseguenze di un simile programma a mio avviso catastrofico. La distruzione delle moschee provocherà una esplosione planetaria di odio e una fiammata di vendetta spaventosa, e poi un mare di sangue. Io ho assistito a un mattatoio atroce per lo scontro fra fedeli dell'unico Dio e pagani impuri e bestiali. Nessuno ebbe pietà per nessuno. E questo accadrà di nuovo in scala mille volte più grande. Per che cosa?»

Parlammo per ore e ore e in quello scambio di tanti pensieri, acuti, taglienti eppure affascinanti, mi resi conto che non esistevano più buoni e cattivi quando tutti pensavano che la violenza era l'unica via da percorrere. L'unica differenza era l'intelligenza e la civiltà. Compresi anche che in una situazione quale quella che mi veniva descritta non potevo tirarmi indietro. Non l'avevo fatto allora, ascoltando i consigli di Flavio Giuseppe per salvare il secondo Tempio, non lo avrei fatto ora cercando la mediazione, l'accordo con le buone e con le cattive. Ricordavo bene l'ultima volta che ero venuto a Gerusalemme quando Jeshua aveva sventato un'esplosione in mezzo a migliaia di fedeli che pregavano davanti al Muro del pianto.

Ma misi dei paletti: le atrocità sarebbero state stroncate senza alcuna titubanza e senza pietà, e nessun uso della violenza senza motivo mi avrebbe visto partecipare. Arrivò un momento durante il quale Aurebach sembrò refrattario alle mie idee, ma gli dimostrai che uno come me gli conveniva averlo con sé piuttosto che dalla parte avversa.

Quella sera rincasai tardi e Berenice mi aveva aspettato. Andammo in un piccolo locale nel quartiere armeno e ordinammo la cena tipica del ristorante. Non sapevo che cosa dirle e forse nemmeno lei a me perché nessuno di noi due aveva voglia di parlare di ciò che gli era accaduto in giornata.

Quando la ricondussi a casa si alzò un vento freddo. Era la fine di settembre e Gerusalemme era a 750 metri sul livello del mare. Abbracciai Berenice e mi congedai: «Non mi sento di coricarmi così presto. Vado a fare una passeggiata per schiarirmi le idee».

«Quali idee?»

«Le poche che mi sono rimaste in mente. Tornerò presto.» E mi incamminai verso la città vecchia dove forse avrei trovato un suonatore ambulante che suonava molto bene.

Il vento freddo s'infilava nelle strade strette della città e mi gelava fino alle ossa. Arrivai così a un arco che per me era un punto di riferimento, ma il suonatore non c'era. Vi si stagliò d'un tratto come dal nulla una sagoma nera. «Chi non muore si rivede» disse. «Che fai da queste parti? Ti sei sistemato bene, vero? Ma se ti metti con quelli tornerai con noi. Non abbiamo paura del falegname! Figurati se abbiamo paura di questo angeletto che sta con te.» E si mosse verso di me passo dopo passo.

Belial.

Mi corse un brivido lungo la schiena molto più freddo del vento, ma non dovetti concentrare la mia più forte volontà: Cornelius era già al mio fianco e indossava un'armatura come quella dei guerrieri di Simone nella battaglia per il Tempio. Una risata clamorosa echeggiò sotto l'arco e Belial continuò a camminare verso di me. Cornelius sguainò la spada e gli fu addosso in un istante. Anche Belial sguainò la sua e l'intera città rimbombò del fragore delle spade che cozzavano facendo sprizzare scintille che illuminavano d'azzurro tutto l'archivolto.

In pochi minuti l'armatura di Belial andò in pezzi sotto i colpi di Cornelius che trapassò più volte la sua figura come fosse un corpo fisico e Belial cominciò a sentire dolori lancinanti e a gridare e stridere, arrampicandosi sui massi che formavano il muro. Si sentì il suono ripetuto di una sirena della polizia.

«Meglio se andiamo a casa» dissi.

XXXIX

La cameriera venne ad aprirmi e mi fece entrare. Berenice mi accolse preoccupata:

«Che cosa ti è successo? Hai un'aria sconvolta.» Ma non potevo spiegarle cosa era accaduto nel vicolo della città vecchia: non mi avrebbe creduto. Inventai qualcosa per calmarla e per tutta la settimana mi dedicai a raccogliere notizie sul progetto di Gad Aurebach. Mi sembrava strano che nessuno si fosse accorto dell'esistenza di un'organizzazione il cui capo rivestiva una carica strategica di importanza critica e che a me era sembrata pericolosa. A meno che parti del governo o della Knesset fossero d'accordo con i servizi segreti e con il loro vertice. Ma come avevano potuto mantenere il segreto senza che trapelasse la minima notizia per tanto tempo? Continuavo ad arrovellarmi ma ero stanco, cosa che non mi capitava da tempi immemorabili. Mi coricai accanto a Berenice nel nostro letto, nella camera bellissima con la vista su Gerusalemme.

«Ho bisogno di te» le dissi.

«È gentile da parte tua.»

«Non è solo un complimento: è una necessità. Sarà dura questa separazione, ma è necessaria. Per almeno cinque, sei settimane non potremo mai incontrarci, nemmeno per un caffè. Nessuno dovrà vederci insieme. Sono riuscito a trovarti un posto al ministero dell'Interno. Te la senti?»

«Certamente. Ti chiedo solo di spiegarmi questa tua mossa domani, dopo il sorgere del sole.»

«Scusami. Anche tu avrai bisogno di riposare.» Le diedi un bacio e mi lasciai andare sul cuscino. Cercai ancora, nel dormiveglia, una risposta ai miei interrogativi. Pregai nel silenzio Jeshua: «Sappiamo che Dio può essere dovunque: non c'è bisogno di costruire un terzo Tempio. Aiutami. Non vogliamo un altro mattatoio sulla spianata. Aiutami, ti prego». Per una frazione di secondo mi sembrò di vedere controluce la sagoma di Cornelius, poi nulla. Presi il telecomando e feci abbassare l'avvolgibile della finestra che dava sul fascino irresistibile di Gerusalemme. Volevo il buio.

L'indomani preparai io la colazione per tutti e due e Berenice mi raggiunse dal letto nella sua vestaglia di seta, un dono che avevo voluto farle da una bottega di Gerico.

«Ti ascolto» disse.

«Nel tuo ufficio al ministero dell'Interno potrai vedere carte dal contenuto segretissimo, se sarai prudente. Sarai anche corteggiata senza tregua da uomini potentissimi. Il tuo fascino però può esserci utile.»

«Che cosa vuoi dirmi?»

«Lascia che pensino che tu sia accessibile, ma fai in modo, prima di tutto, di ottenere quello che vogliamo.»

«E che cosa vogliamo?»

«Questo» risposi, e le porsi una cartella di cuoio marocchino marrone con delle piccole tasche interne per le chiavette USB, delle buste interne sempre dello stesso materiale, dove avevo messo dei dossier con tutte le istruzioni indispensabili per la sua missione. Al centro c'era un contenitore per un piccolo laptop leggero come una piuma, inespugnabile dal più abile degli hacker, costruito nelle mie officine a Mitzpe Ramon.

«Contiene anche una radio RT che è continuamente in contatto con uno dei tuoi orecchini» proseguii, «in qualunque ora del giorno e della notte. Se devi tu parlare con me è sufficiente che parli sul pendente del collier che ti ho regalato la settimana scorsa. Parla sottovoce perché è sensibilissimo e non esitare a chiamarmi al minimo sospetto di rischio. Concentra il tuo interesse sul figlio superstite di Gad Aurebach, Jonathan, viceministro delle Forze armate.

So come la pensa il padre. Devo sapere che razza di uomo è il figlio Jonathan.»

«Farò del mio meglio» rispose Berenice.

Passarono così cinque settimane finché Berenice, con la quale ero in contatto continuamente, mi fece sapere che aveva raccolto sufficiente materiale da sottopormi. Le diedi appuntamento in un ristorante non lontano dalla piazza del Muro del pianto. Indossava un soprabito di gabardine grigioverde a doppio petto sopra un tailleur grigio scuro gessato e scarpe nere lucide con tacchi a spillo. I capelli biondi, lunghi abbastanza da accarezzarle il collo, erano raccolti sulla nuca in una spilla d'argento. Una mise perfetta per la sua frequentazione ministeriale.

«Ho staccato la radio» le dissi «e ho ordinato il tuo piatto preferito, ma parliamo comunque sotto voce: questa zona pullula di spie da tutto il Medio Oriente e da vari gruppi terroristici. A casa studierò i tuoi documenti questa notte stessa. Sei elegantissima; che mi racconti, amore mio? Queste cinque settimane non passavano mai; non reggevo più la tua mancanza.»

«Nemmeno io, ma non volevo deluderti. Comincia tu, però» replicò Berenice. «Penso che le mie notizie saranno ausiliarie.»

«Non credo. Da quando siamo qui mi sei sempre stata indispensabile. Il mio successo in Israele è in gran parte dovuto a te... mangia prima che ti si freddi: la zuppa di pesce è buona calda.»

Cenammo chiacchierando di politica, di equitazione e di cavalli e quando avemmo esaurito il menu e gli argomenti di conversazione le dissi: «Comincia, ti prego».

Berenice fece la sua relazione: «Jonathan è un giovane straordinario: intelligente, ha un notevole sense of humor, è impeccabile sul lavoro e nella cura della persona e si distingue per il suo equilibrio... è viceministro delle forze armate di Israele».

«Nient'altro?»

«Detesta i fanatici e gli estremisti di qualunque genere, i terroristi. In questa chiavetta USB c'è un video di lui che fa un discorso davanti a un battaglione di fanteria. Credo che lo troverai molto eloquente.»

«Non ne dubito.»

«Dal canto mio ho potuto appurare che i componenti dell'associazione per il terzo Tempio sono piuttosto numerosi: almeno quelli che ho potuto individuare, ma potrebbero essere molti, molti di più. Centinaia, forse migliaia.»

«La mia impressione» risposi «è che quelli che possiamo individuare siano solo la punta dell'iceberg. Da come ho potuto vedere, sono facoltosi ma non danno nell'occhio; se appaiono in pubblico lo fanno con toni sommessi; non alzano mai la voce, vestono in modo elegante, mai vistoso, anzi, piuttosto modesto. C'è uno zoccolo duro?»

«Di certo, ma io non sono riuscita a individuarlo. Se c'è è ben nascosto. Ma quel piccolo gruppo di cui, se ho ben capito, fai parte anche tu, non potrebbe essere quello lo zoccolo duro?»

«Non credo. Da come hai descritto il giovane Aurebach mi sembra di aver capito due cose: Jonathan è in grado di scalare la gerarchia politica ed economica in tempi relativamente brevi; non sopporta la violenza e non ci crede. Se così non fosse non sarei riuscito a convincere il padre ad accettare le mie condizioni. Andiamo a casa? Mi sei mancata moltissimo.»

«Anche tu... Vedi quel tipo seduto vicino alla finestra? Mi ha pedinato per parecchi giorni nell'ultima settimana. Ed è entrato subito dopo che sono entrata io.»

«È una spia, come ti ho detto. Può darsi che si stia muovendo qualcosa. Anche io ho notato che ci sono strani individui in giro. Alcuni sicuramente armati.»

Rientrammo con la mia auto e in mezz'ora già la parcheggiavo nel mio garage. Salimmo con l'ascensore, mi avvicinai alla finestra e guardai di sotto: c'era lo stesso individuo che avevamo notato al ristorante. Ma in quel momento pensavo ad altro. Avevo nascosto nel baule dell'auto un mazzo di gigli selvatici raccolti in un foglio di cellofan. Scesi a prenderli, con una scusa, e rientrai. Berenice trasalì nel vederli.

«Amore, da cinque settimane non ti vedevo e ora voglio che sia come quando ci nascondevamo nella casetta sopra il campo del sicomoro.»

Berenice si denudò, aprì il mazzo dei gigli selvatici e li sparse sul suo corpo sempre divino. Facemmo l'amore con la stessa foga e lo stesso ardore di quando ci eravamo abbracciati per la prima volta sotto la luna.

Mi alzai verso le quattro, introdussi l'USB di Berenice nel mio computer e guardai il discorso di Jonathan a un battaglione di Tsahal per commemorare la morte recente sul campo di suo fratello. Aveva un timbro robusto della voce e i primi piani della camera sul suo volto mostravano un'espressione forte e uno sguardo fermo. Non esagerava con i temi patriotici né inveiva con parole violente e spregevoli contro il nemico. In qualche modo mi diede l'idea di una persona che non avesse particolari emozioni, visto che stava commemorando il fratello ucciso da poco. Sapevo che esistono persone più resistenti al dolore di altre, il che non significa che siano degli insensibili. La descrizione di Berenice infatti aveva dipinto un giovane che aveva molte più virtù che difetti.

Ricordavo a mia volta il mio primo incontro con Gad Aurebach, il padre di Jonathan, nel suo ufficio. Non era un uomo di facile approccio né era privo di arroganza, ma tuttavia era una persona carismatica che mostrava grande forza d'animo e anche capacità di emozioni.

Ero ancora preso dai miei pensieri quando vidi entrare nel mio studio Berenice in pigiama.

«Come mai in piedi a quest'ora?» le chiesi.

«Quell'individuo è ancora là dove l'abbiamo visto. Mi innervosisce, chiamo la polizia.»

«Aspetta. Forse è meglio che vada io: potrebbe avere da dirmi qualcosa di interessante.»

«Fai attenzione.»

«Ho un bodyguard, lo sai? E inoltre metti in funzione le videocamere: dobbiamo avere copia di tutto quello che succede e il ritratto di quell'uomo.»

Mi cambiai d'abito, indossai un jeans, una camicia kaki con le tasche sul petto, un giubbotto di pelle marrone, la cintura con fondina e pistola e scesi veloce fino al piano terreno. L'uomo, di forse quarant'anni, si staccò dal muro e si volse verso di me. Aveva passato buona parte della notte in quella postura senza mai chiudere occhio e non dava nessun segno di stanchezza.

«Che fai appoggiato a questo muro?»

«Non do fastidio a nessuno, mi sembra.»

«A me sì. Eri al ristorante nella città vecchia, poi ti ho visto qui al mio rientro e adesso, alle cinque del mattino, sei ancora qui. Chi sei?»

«Sono uno che vuole sapere cosa sarà delle grandi moschee della spianata.»

«E perché lo chiedi a me?»

«Mi dicono che tu lo sai.»

«Chi te lo ha detto mente. Io non so niente. E adesso vattene. Se ti pesco ancora da queste parti passerai un brutto quarto d'ora.» Gli mostrai lo stemma di un battaglione d'assalto di Tsahal e l'uomo fuggì. Subito dopo la radio di Berenice risuonò nel mio auricolare: «Attento, arriva qualcuno!». Dalla finestra doveva vedere molto più in là di me.

«Ritirati immediatamente» risposi, «e chiudi porte e finestre!»

«E tu rientra subito, finché funziona l'ascensore!» gridò Berenice.

«Stai tranquilla. Ho una difesa maggiore di qualunque porta blindata!»

Non molto tempo dopo vidi arrivare su veloci, rombanti motociclette tre giovani di cui uno, che doveva essere il capo, in giubbotto di pelle. Fisico prestante, faccia dura e mi circondarono completamente. Ero preoccupato: temevo che Berenice alzasse l'avvolgibile e impugnasse il Breda Xanthos semiautomatico che le avevo regalato nell'anniversario del nostro primo incontro. Ero a un passo dall'essere accerchiato quando apparve al mio fianco Cornelius. Era in tuta mimetica, anfibi, cinturone e munizioni, ma il volto era quello con cui mi si presentava abitualmente quando assumeva un aspetto riconoscibile.

Bastò quella figura a intimidire i motociclisti e Cornelius si nascose dietro l'angolo della casa dove abitavo ma non sparì.

«È una vostra idea, o vi ha chiamati quel tipo che ha fatto la sentinella appoggiato a questo muro tutta la notte?» chiesi.

«Ci ha avvertiti lui» rispose quello che sembrava il capo e aveva sotto la tasca destra della camicia la scritta "Samson". Tutti e tre portavano sul cinturone una stella di David d'argento in rilievo sul bronzo della fibbia.

«Non volevo fargli del male, ma mi stava alle costole da parecchie ore e volevo sapere che cosa voleva.»

«E lui cosa ti ha detto?»

«Che voleva sapere che cosa ne sarà delle grandi moschee della spianata.»

Il capo chinò la testa e scambiò un'occhiata preoccupata con gli altri due, poi disse: «E tu che cosa hai risposto?».

«L'ho già detto al tuo amico: non ne so niente.» Notai l'accento arabo del capo dei motociclisti, che riprese a parlare: «Non so se dici la verità, ma se sai qualche cosa ti conviene parlare». Mi porse un biglietto da visita. «Potrebbe scoppiare una tale catastrofe da distruggere ancora una volta Gerusalemme e non solo. Tutto il mondo andrebbe in fiamme.»

«Lo credo» risposi.

Mi volsi alla porta e l'aprii infilando la chiave nella serratura. I motociclisti partirono veloci come erano arrivati. Riapparve Cornelius e poi disparve.

Al primo sorgere del sole mangiai due uova con due toast e presi due sorsi di caffè nero. Berenice si era riaddormentata e non volli svegliarla. Le lasciai un biglietto sul tavolino da notte.

"Ci vediamo al bar del ministero se non mi invita qualcuno per il lunch. Un bacio."

Mi fermai in un bar non lontano dall'albergo dei pellegrini e chiamai il cellulare del motociclista: «Sono Demetrios che hai incontrato questa notte. Ti va un caffè turco al Suleyman?».

«Certo. Arrivo in mezz'ora.» Doveva abitare a non più di cinque chilometri dal bar, considerando il traffico. Ordinai due caffè e venni subito al dunque: «Perché il tuo amico questa notte mi ha chiesto cosa sarà delle grandi moschee della spianata?».

«Ma tu chi sei?»

«Ti ho detto il mio nome. Comunque sono uno che ha visto troppo sangue e troppa violenza nella sua vita e che fa tutto il possibile perché tutto questo non accada mai più. Puoi rispondere alla mia domanda?»

«Un gruppo di Ebrei estremisti e fanaticamente ortodossi vuole far saltare le grandi moschee della spianata e ricostruire il terzo Tempio.»

«Non è possibile.»

«È possibile, invece. Sono potentissimi, ricchissimi; hanno mezzi e denaro senza limiti e sono terribilmente determinati: sappiamo che allevano le giovenche rosse, le uniche che possono essere sacrificate all'Altissimo. Inoltre hanno contatti molto importanti nella Knesset, nel governo e in parte nei servizi segreti.»

«Come sapete tutte queste cose?» domandai.

«Abbiamo le nostre fonti di informazione» rispose Samson, il motociclista. «Temo anche che questo attentato terrorista sia vicino, se non imminente. Non ne sono certo, ma molti presagi e indizi lo fanno ritenere probabile. Per questo ti abbiamo messo uno dei nostri alle costole. Siccome la tua personalità è molto nota di questi tempi, anche nelle nostre istituzioni, volevamo capire se non fossi stato contattato da qualcuno vicino a quella organizzazione.»

Mentre parlava, notai sul suo zigomo sinistro un tic nervoso che gli faceva contrarre la guancia. Il motociclista mi fissava a fondo negli occhi. E vedevo nella sua mente un tremito, un pensiero che lo turbava fortemente: un misto di aggressività, di paura e di incertezza.

«Sarò sincero» dissi. «In effetti sono stato avvicinato da un personaggio di alto livello ma di grande onestà e coraggio. Di lui mi fido. Oltre a ciò ho posto dei limiti alla mia collaborazione e mi sono riservato il diritto di potermi dimettere in ogni momento. È un patto basato sulla reciproca fiducia.»

Quando ci salutammo notai ancora la fibbia del cinturone del motociclista con la stella di David d'argento in rilievo sul bronzo. L'avevo già vista sul cinturone dei suoi compagni, ma mai di un soldato, né di qualunque privato. Doveva essere il simbolo di un gruppo legato da una promessa o forse da un giuramento. Quando il rombo della sua motocicletta si fu perduto nei rumori del traffico mi chinai a terra e presi fra le dita qualcosa che era caduto al motociclista. Lo guardai con una lente da ingrandimento: erano peli, peli rossi di una vacca o di un toro!

Raggiunsi la mia auto e mi diressi verso l'edificio dove c'era la sede segreta del comandante del Mossad di cui avevo già avvertito la segretaria.

Mi accompagnò con l'ascensore e mi introdusse nell'ufficio di Aurebach, che mi venne incontro.

«Novità?» domandò stringendomi la mano.

Gli raccontai quello che mi era capitato la notte passata e il mio colloquio appena concluso con il motociclista.

«E lei ha creduto a quello che le hanno detto quei teppisti?» disse Aurebach. «Le dico io come la penso: quelli vogliono far scoppiare una bomba su una o due delle moschee della spianata e poi far ricadere la colpa sulle associazioni come la nostra che vorrebbero, qualora fosse possibile, ricostruire il terzo Tempio o addirittura tutta Israele. Noi non vogliamo distruggere le moschee...»

«Comandante, questo è esattamente ciò che mi disse nel nostro primo incontro privato. E adesso mi sta ancora dicendo "non vogliamo distruggere le moschee". C'è un patto fra noi: niente violenza, niente atrocità. E solo Dio sa quante atrocità e quanta violenza provocherebbe la distruzione delle due moschee della spianata.»

Aurebach ribatté: «Più volte, parlando di questo progetto, ho detto "Qualora fosse possibile"...».

Mi venne in mente il discorso di Jonathan che Berenice aveva registrato e gli citai alcuni suoi passi.

«Queste sono parole sagge, comandante, parole di un giovane che commemora il fratello caduto in battaglia ma ricorda anche i caduti dall'altra parte. "Anche loro sono figli di madri e di padri."»

Aurebach chinò il capo. Poi riprese a parlare: «Non posso capire come lei si sia lasciato convincere da quel teppista così facilmente. Un uomo come lei... la nostra arma segreta.

Mi dica tutto di quel motociclista: portamento, sguardo, come era vestito, che tipo di motocicletta montava, dove abita presumibilmente, l'età, il colore e l'acconciatura dei capelli. Avrà pure visto, intuito qualcosa...»

Certamente che avevo visto, intuito. Tutto mi sembrava d'un tratto più chiaro: il tic nervoso sulla guancia sinistra di Samson, l'intimo turbamento che avevo percepito nella sua mente, i peli rossi...

«Ha parlato della sua associazione, delle vostre intenzioni» dissi. «Il progetto del terzo Tempio, la vacca rossa. Sapevano tutto! E il motociclista aveva questo in tasca» e mostrai i peli: «Li faccia analizzare».

Aurebach chiamò la segretaria: «Mandami qui subito Aser Kabinsky».

Il nominato entrò nello studio in tre minuti e non lo fece nemmeno sedere:

«Aser, il nostro amico mister Acorray mi ha portato delle notizie importantissime: se ho capito bene sta per esplodere un complotto di enormi proporzioni e che noi dobbiamo impedire a ogni costo» e mi chiese di raccontare tutto quello che mi era capitato in poco più di ventiquattr'ore.

Aurebach indicò subito dopo un punto sulla topografia di Gerusalemme appesa al muro: «Se Samson è arrivato in mezz'ora al vostro appuntamento, la sede della sua setta di fanatici non può che essere in quest'area». Tracciò un segno attorno alla zona. «E di certo vogliono far esplodere in tempi brevi, se non brevissimi, le moschee della spianata del Tempio per far saltare tutti gli equilibri del vicino Oriente.»

Kabinsky si avvicinò alla carta topografica. «Sei mesi fa il comandante fu informato di strani movimenti attorno a questo edificio. Ho visto la documentazione ed eravamo qui, a centocinquanta metri dall'ospedale degli anziani. Suggerirei di concentrarci su quel punto.»

«Aser, vai subito con i tuoi uomini e perquisisci l'intero fabbricato. Mister Acorray è disposto a darvi man forte. È un uomo incredibile, se pure è un uomo.»

Kabinsky salutò Aurebach con un cenno e calammo a tutta velocità con l'ascensore fino a terra. Partimmo sgommando velocissimi.

Arrivati alla sede di Samson, la trovammo completamente vuota: non un'anima viva. La perquisii comunque, scovando senza sforzo ogni documento, lettera, oggetto, computer. Un mio robot, già completamente programmato, inviava l'immagine di ogni singolo reperto al recettore di Aurebach che in pochi minuti localizzò il punto del deserto presso il Mar Morto dove si sarebbero, o già si erano, raccolti tutti.

Io e Kabinsky tornammo in pochi minuti alla sede del Mossad. Aurebach ci ricevette subito: «Da quello che ho capito dal progetto più recente che abbiamo trovato, fra venti minuti faranno partire quattro droni, due per ogni moschea che salterà, lasciando solo un informe ammasso di macerie. Ho chiamato il ministro delle Forze armate e gli ho chiesto di lanciare subito un F35 a bombardare il sito-base Samson. I droni non decolleranno. Non deve sopravvivere nessuno. Avevo provato a contattare mio figlio Jonathan, che è il viceministro, ma nonostante diversi tentativi non sono riuscito a parlargli».

Aurebach non aveva finito di parlare che Berenice mi chiamò al telefono: «Ho saputo adesso che Jonathan ha partecipato a una cena con Samson e i suoi uomini. Da quel momento è sparito. Non so se spontaneamente o contro la sua volontà, ma temo il peggio, anzi ne sono certa».

Un brivido gelido mi percorse la spina dorsale. Risposi immediatamente: «Faccia subito richiamare l'F35. Jonathan Aurebach è nella base Samson sul mar Morto».

Gad Aurebach si sentì venir meno e cercò subito il ministro delle Forze armate.

Finalmente ebbe la comunicazione in viva voce:

«Che succede, Aurebach? Abbiamo eseguito la vostra richiesta al più presto. Il nostro F35 è in volo da cinque minuti!»

«Signor ministro» esclamò Aurebach, con la voce spezzata dal panico, «per l'amor di Dio, mio figlio Jonathan è nella base Samson! Richiami subito l'F35!»

«Non posso, Aurebach. I quattro droni partiranno dalla base fra cinque minuti al massimo, e il nostro caccia non può abbatterli, una volta decollati, perché voleranno raso terra e non saranno visti dai radar.»

La voce del pilota si fece sentire: «Falcon a Neftali: bersaglio inquadrato; missile armato».

Aurebach gridò con tutta la voce: «Richiami quel caccia, maledizione, richiamatelo o chiamo il Primo ministro!».

«Troppo tardi» disse Kabinsky. Il fragore del missile esploso sul bersaglio si fece udire dai ricevitori del caccia fin nel nostro ufficio.

«Qui Falcon, bersaglio distrutto. Nessun sopravvissuto.»

Aurebach gridò: «No! Noooo!» e cadde a terra, il petto scosso dai singhiozzi, abbattuto da un infarto. Mi inginocchiai accanto a lui: «Gad Aurebach, hai offerto un sacrificio più grande di quello di Isacco voluto dall'Altissimo, ma non c'è stato un ariete a sostituire tuo figlio sul fuoco della pira. Ma avrai evitato la guerra più cruenta di tutte le guerre dal tempo di Caino e Abele. Addio, comandante».

Epilogo

Berenice e io uscimmo dalla sede del Mossad e proseguimmo a piedi fino alla piazza del Muro del pianto.

«La tua azione è stata decisiva» le dissi stringendola a me. «Hai letto il discorso di Jonathan Aurebach e subito hai capito che Jonathan era prigioniero del gruppo Samson sul Mar Morto. Hai salvato il mondo, amore mio.»

«Non ho fatto nulla» rispose Berenice. «Un giovane uomo ha perso la vita per colpa di un gruppo di fanatici e la sua morte ha spezzato il cuore al padre che già aveva perduto un figlio.»

«Nessuno parlerà di loro, nessuno celebrerà il loro coraggio e la loro forza d'animo... e nessuno saprà mai quello che ho fatto. Ma questo non importa.»

«Tu pensi? La verità è tutt'altra. Una verità meravigliosa e incredibilmente affascinante.»

«Che dici, Dem?» Era la prima volta che mi chiamava con il mio nome greco abbreviato.

«Ricordi?» proseguii. «Ricordi a Roma quel luogo segreto dove ci incontravamo per fare l'amore nel sotterraneo del Portico di Ottavia?»

«Si, lo ricordo» rispose la mia Berenice.

«Ebbene, ancora oggi fra quelle pietre enormi aleggia una leggenda. La gente dice che Berenice fu cacciata da Roma da Tito e scomparve. Si dice che fu uccisa e che il suo fantasma nelle notti di luna piena ancora appare fra i marmi millenari. È portentoso, magico. Sia la Berenice di oggi, che veste un elegante abito di seta, sia quella che indossava un chitonisco e l'armatura di una guerriera e che appare sotto le sembianze di un fantasma si sono battute per il Tempio, sia perché l'uno fosse salvato, sia perché l'altro non venisse ricostruito al prezzo di milioni e milioni di vite umane. Il nostro amore ha fatto vivere comunque il mito della casa di Dio sulla terra. Un amore che forse non morirà mai.»

Mondadori Libri S.p.A.

Questo volume è stato stampato
presso ELCOGRAF S.p.A.
Stabilimento - Cles (TN)

Stampato in Italia - Printed in Italy